[改訂版]

交渉力アップで看護部を変える、病院を変える

看護管理の達人として交渉を心から楽しもう

齋藤 由利子 [著]

経営書院

改訂版
「交渉力アップで看護部を変える、病院を変える」
～看護管理の達人として交渉を心から楽しもう～

JA かみつが厚生連　上都賀総合病院　副院長兼看護部長　齋藤由利子　著

はじめに

　近年、国民意識や価値観が多様化する中、医療現場においてもその価値観の多様化・複雑化に対応しなければならない現実があります。そして病院組織はどう生き残るかを常に求められる激動の時代になりました。看護師は、そのような環境の変化に合わせ、より質の高い専門性に加え、顧客サービスの向上、保健・医療から福祉までの切れ目のない支援や地域包括ケアシステムの構築等、あらゆる分野での活躍を期待されています。また、看護管理者は病院経営が厳しくなる中、経営に参画し、生き残るための戦略のリーダーシップを発揮することなど、以前では考えられないような能力が求められる時代になってきています。

　また、病院の機能分化と在院日数短縮、認知症患者増、家族構造の変化、地域包括ケアシステムの構築等々、環境が大きく変化していることにより看護管理者のみならず、すべての看護師が複雑かつ煩雑な業務に追われ、看護についてゆっくりとリフレクションするゆとりもないのが現状ではないかと察します。

　看護師は他の職種と比較し、ストレスが高い職業といわれています。看護師特有のストレッサーの具体的内容としては、仕事内容による緊張感、チーム医療に関すること、例えば医師の理解不足等、労働環境に関すること、患者・患者家族との関係に関すること、人間関係そのものなど、さまざまなものが指摘されています。その中でも、いちばんストレスが多いのは業務に関連することよりも、人間関係のトラブルであり、仕事のモチベーションを下げる原因と筆者はとらえています。つまり、人とのかかわりは、それだけ重要な位置を占めているということになります。

　筆者が「交渉」を学ぶきっかけですが、2011年に認定看護管理者

サードレベルで「交渉術」の授業を初めて受けたことでした。まさに、目からうろこの内容で、交渉の重要性と同時に交渉について興味をそそる授業でした。

2012年、栃木県看護協会から「交渉」の授業をしてくれる人はいないかと相談を受け、筆者としてはとても興味がありましたし、自分が成長できるチャンスととらえ、お引き受けすることにしました。そこからは自分との闘いです。

人に教えるためには、まず自分自身が勉強し、理解をして自分の言葉として語れなければ研修受講者に共感を生むことはできません。今では100冊を超える交渉や人間関係論、コミュニケーションの書籍をすみずみまで読み、それぞれの書籍の内容のポイントをパワーポイントにしてまとめています。そのプロセスの中で交渉の資格を取ることもできました。それらが今回の書籍化につながっています。今では雑誌への投稿や講義の機会も増え、全国各地で毎年40回程度の講義依頼を受けています。

初版に至った2013年当時、ビジネスに関する交渉の書籍は数あれど看護職の交渉に関する書籍はあまり見られまでした。筆者は、交渉力は看護管理者としての総合力と考えています。これからはますます看護師一人ひとりの交渉力を身につけることが非常に重要視されます。この本は、看護師の皆さんが普段から取り組んでいるような、身近な内容として集約しました。

第1部は、交渉の基本の理解、第2部は、医療の現場で実際によくある事例を取り上げ、解説しました。第3部は、私の看護師人生の中で、印象深く、読者の皆さんの業務でお役に立ちそうな交渉事例を書き下ろしました。

交渉には正解はありません。交渉の環境や人の価値観によって大きく左右されるからです。皆さんが交渉するにあたり、どのような環境、どのような立場であれ、この書籍が何かのヒントになれば嬉しく

はじめに

思います。

　交渉の最終ゴールは患者さんへの質の高い看護の提供です。皆さんが楽しく交渉を成立し、活き活きと看護ができることを心から願っています。交渉力がアップすれば、看護部が強く変われる、病院が変わる、まわりの世界もきっと変わるはず……です。

2017年11月

目次

改訂版
「交渉力アップで看護部を変える、病院を変える」
～看護管理の達人として交渉を心から楽しもう～
－目次－

はじめに

第1部　解説編

第1章　今なぜ看護管理に交渉力アップが必要なのでしょうか ……………………………………………… 2

第2章　交渉が苦手な人へ
～合意に至る交渉は楽しいもの～ ……………… 7

第3章　病院組織協力体制を築くための、とっておきの交渉スキルのポイント　職種別・職位別交渉の考え方 ……………………………………… 9
看護部長の視点での交渉／看護師長の視点での交渉／医師との交渉／コ・メディカルとの交渉／事務職との交渉／患者・家族との交渉

第4章　会議の場における交渉
～だから会議は面白い～ ……………………… 26

第5章　交渉の基本的な考え方とテクニック ……… 36
●交渉とは ……………………………………………… 36
●なぜ交渉するのでしょうか ……………………… 40
●交渉プロセス8つの構成要素
～交渉成功の秘訣は事前準備！～ ……………… 41
　①　ゴール設定 ……………………………… 42

v

② 問題点の把握とニーズ創出 ……………………………… 43
　　③ 価値ポジショニング ………………………………………… 48
　　④ 期待値調整 …………………………………………………… 48
　　⑤ 駆け引き ……………………………………………………… 49
　　⑥ 合意形成 ……………………………………………………… 51
　　⑦ 自己演出 ……………………………………………………… 53
　　⑧ 人脈形成 ……………………………………………………… 54

第6章　事前準備を極めるための交渉の要因 ……………… 56
　1．関心事項 …………………………………………………………… 56
　2．提案 ………………………………………………………………… 58
　3．代替案 ……………………………………………………………… 59
　4．正当性 ……………………………………………………………… 60
　5．対話 ………………………………………………………………… 60
　6．関係 ………………………………………………………………… 62
　7．執行 ………………………………………………………………… 63

第7章　交渉を成功させるための手順 ……………………… 64
　1．現状認識
　　　〜交渉の第1歩は正確な情報収集から〜 ……………………… 65
　2．戦略への展開
　　　〜情報をもとに意義のあるシナリオを〜 …………………… 66
　3．交渉の分類と交渉戦略アプローチ ………………………………… 67
　　分配型交渉 …………………………………………………………… 68
　　統合型交渉 …………………………………………………………… 69
　　交渉のアプローチ法 ………………………………………………… 71
　　　Win-Win 型交渉へのアプローチ／Win-Lose 型交渉へのアプローチ／Lose-Win 型交渉または Draw 型へのアプローチ／Lose-Lose 型交渉へのアプローチ
　4．交渉場面 ……………………………………………………………… 73
　　　交渉で主導権を握る話法／予期せぬことが起きたときの対処法

5．上手な交渉の終わり方 ································ 74

第8章　交渉の実際をイメージする
　　　　　～交渉過程の3段階～ ································ 75
　　1．序盤 ·· 75
　　2．中盤 ·· 77
　　3．終盤 ·· 80
　　　コラム　交渉成立のためのアイスブレイク ············ 82
　　　　　　　交渉相手のタイプを見抜く
　　4．交渉時の自分の傾向を知る
　　　　～交渉の8つの失敗パターン～ ······················ 85

第9章　医療現場における交渉の心得16カ条 ············ 87
　　1．交渉の計画 ·· 87
　　2．交渉の実践 ·· 87
　　3．交渉の統制 ·· 88

第2部　ケーススタディ編
　　医療現場における交渉は統合型で ························· 90
　　1．看護師間の交渉場面 ···································· 93
　　　〈ケース1〉新人看護師Aに対し、社会人としての勤務に対
　　　　　　　　する心構えを変えたい病棟師長 ············ 93
　　　〈ケース2〉病棟師長から「業務が忙しすぎるので看護師を
　　　　　　　　増員してほしい」と要望された看護部長 ········· 100
　　2．患者・家族との交渉場面 ······························ 107
　　　〈ケース3〉せん妄患者の抑制に同意している娘が、実際の
　　　　　　　　抑制場面に納得がいかず苦情を訴えられた看護
　　　　　　　　師 ·· 107
　　　〈ケース4〉重症患者のための個室がなく、病棟主任が患者
　　　　　　　　Dに部屋移動のお願いをしたが、受け入れても

らえなかった事例 ………………………………………… 112
　3．医師との交渉場面 …………………………………………… 117
　　〈ケース5〉指示出し時間を守ってくれない外科医師Gに対
　　　　　するリーダー看護師Hによる交渉 ………………… 117
　　〈ケース6〉いつも看護師に大声で怒ってくる医師Iに対し、
　　　　　何とかしたいと思っている看護師長 ……………… 121
　4．他の職種との交渉場面 ……………………………………… 124
　　〈ケース7〉検査部門と看護部門間の検体運搬業務の交渉
　　　　　 ……………………………………………………… 124
　　〈ケース8〉看護に伴う高額機器を、今年度何とか手に入れ
　　　　　たい看護副部長 ……………………………………… 128
　5．会議を活用しての交渉場面 ………………………………… 131
　　〈ケース9〉入院決定時、病床を医師が采配しており、病棟
　　　　　間の利用率に較差がでているため、病床管理を
　　　　　改善したい看護部長 ………………………………… 131

第3部　看護管理者としての交渉実例　〜筆者の場合〜

交渉術で組織を動かす ……………………………………………… 136
1．院内感染対策の改善と組織化へ交渉 …………………………… 138
　感染対策コストの削減とICT・リンクナース会の立ち上げ …… 138
2．全職員によるバランスト・スコアカード（BSC）導入
　への交渉 …………………………………………………………… 148
　組織目標達成に向けた全職員での取り組み …………………… 148
3．看護部長として、看護職一人ひとりへのかかわりと交
　渉 …………………………………………………………………… 160
　ポジティブな気持ちで人事異動するために看護職に想いを伝
　えること …………………………………………………………… 160
4．管理者（師長・主任）育成のための管理実践に寄り添

う　目標面接と交渉 ……………………………………… 165
　　現場の活性化、組織目標達成の要は看護管理者 …………… 165

おわりに ……………………………………………………………… 171

第1部

解説編

第1部　解説編

第1章

今なぜ看護管理に交渉力アップが必要なのでしょうか

　2人以上の人が集まり、お互いの意見の異なりから交渉は始まります。交渉は、大きな何かを動かすこととらえている方もいらっしゃると思いますが、家庭内や日常生活における小さな出来事も交渉です。

　医療現場であれば、看護師は、患者や患者を取り巻く家族、地域の社会福祉関係者、医師やその他のコ・メディカル、事務員、委託業者など、非常に範囲の広い人々とかかわりを持っています。

　これほど多くの職種、老若男女の方々と接する看護師が業務を遂行する際には、常にコミュニケーションが付随してきます。つまり、看護師と人間関係は切り離せないことから、コミュニケーションは重要な要素となります。

　よくある対立場面です。皆さんもこんな場面に出会っていませんか？

◇　病棟師長が患者ラウンド時に、家族から「まだ入院したばかりなのに、看護師に退院についての話をされた。この病棟はすぐに追い出す話をするのか」と言われた。

◇　患者から、「診察は2時間も待たされるし、診察は3分だ。医師はパソコンばかり見てるし自分の症状をちゃんと話させてもらえない。こんな状況になっていることに、何の説明もない、

第1章　今なぜ看護管理に交渉力アップが必要なのでしょうか

謝れ」と大声で外来看護師に怒鳴りつけた。看護師は、患者のあまりの勢いに身動きがとれなくなってしまった。

◇　検査技師より、「心電図検査に患者さんを呼んで20分経つんだけど、一向に看護師が患者を連れて来ない。忘れているんじゃないですか。あんたの病棟はこの間もその前もそうだったし、しっかりしてくれませんか」と、病棟に電話が入った。

◇　医師より、「CVカテーテルを入れたいんだけど、あの看護師が介助じゃ困るよ。危なくて処置に集中できない」と病棟師長に申し入れがあった。

◇　入院患者より、「さっき先生が治療方針を説明してくれたんだけど、あの先生の言っていることがわからなくて。看護師さんがわかるように説明してよ」と病棟主任に訴えがあった。

◇　新人担当のプリセプター看護師より、「もうあの（新人）看護師の指導はいやです。何をいってもろくに返事もしないし、課題を一向にやってきません。いい加減疲れましたから、担当をほかの人に変えてください」と病棟師長に相談があった。

等々、場面をあげたらきりがない状況です。

　医療は患者が中心となって組織化されます。看護師は、そのなかでも患者のいちばん近くに存在しており、医療関係者として核となる交渉の機会が他の職種よりも多々あります。厚生労働省の「チーム医療の推進に関する検討会」報告（2010年3月）では、「チーム医療は、我が国の医療の在り方を変え得るキーワードとして注目を集めてい

3

る」と述べており、また、看護師は「チーム医療のキーパーソンとして患者や医師その他の医療スタッフから寄せられる期待は大きい」とされています。

つまり、医療・看護サービス提供者は、高い専門性を活かし、プロ集団としてチーム医療を推進しなければなりません。したがって、専門家同士のチームワークが非常に重要となり、協調と連携は欠かせません。そのような中、管理的な立場になればなるほど、交渉は重要な位置を占めるようになります。

交渉力は9つの要素の総合力

看護管理をしていく上で備えるべき能力は、概念化能力、問題解決力、意思決定力、人間関係調整力、経営管理能力、分析的洞察力と直感能力、分析力、判断力、直感力、リーダーシップ能力、変革力、交渉力など、さまざまな能力を必要としています。沼上幹氏は、「ミドルに昇進するには現場での働き方を見て分析力や判断力があること、少なくてもそのポテンシャルがあることを評価できなければならない」と述べています[1]（引用・参考文献は本書末尾に掲載しています）。さらに「ミドルからトップに昇進させるにはミドル時代の仕事ぶりを観察して戦略的思考を評価しなければならない」とも述べています。すなわち、業務を分析し判断し管理していく能力は、最低限でも常に求められているということになります。

しかし、すべての能力を完璧に備えている看護管理者は、皆無に等しいのではないのでしょうか。したがって管理者として理想を目指して能力向上に努めることが使命であると筆者は考えます。松田憲二氏は、「今日求められている管理活動は、主体性を持ち、積極的に自分の欲求を満たそうとしている人間と仕事の結びつけのあり方である」と述べています。また「自己啓発による自己開発こそ、能力開発の大前提である」[2]と提言していることから、看護管理者の能力開発も自

第1章　今なぜ看護管理に交渉力アップが必要なのでしょうか

図表1-1　課題解決交渉に必要な能力

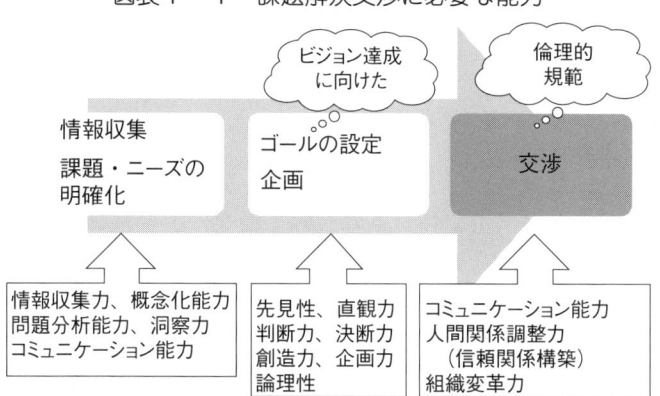

己啓発にあります。

そのプロセスの中で重要なのは、組織の仲間が協力・連携し、専門性や力不足を補完し合う関係です。すなわち、関係性を深めるためにも交渉力が必要となります。

その交渉力とは、9つの要素の総合力としての能力となりされます。9つの要素とは、①問題の分析力、②証拠収集力、③段取り力、④仮説力、⑤論理的思考力、⑥創造力、⑦質問力、⑧共感力、⑨直観力であり、それぞれに磨きをかけることが交渉力アップにつながります（図表1-1）。一方で、今後の行動やゴールに至るまでの過程が交渉であることから、交渉をするためにはこれらの要素を踏まえた準備が重要となります。

経験と理論の学習が交渉力をあげる

「看護部をよくしたい」「病院を変えたい」「地域住民に良い医療や看護を提供したい」と思っても、一人でできることは限界があり、達成は困難です。そこで重要なのが組織力を活用しミッション・ビジョンに向かい、ベクトルを合わせることです。看護管理者は、組織を動

5

第1部　解説編

かすにはどうしたらよいかを考えなければなりません。自ら変革を起こすには看護管理者が目標を明らかにし船頭となって、病院のビジョンに向かって他部門をどう巻き込むか、部下をどう育成するかということに対して真剣に向き合う必要があります。

　そのためにも看護管理者は交渉について学び、磨きをかける意味があります。交渉力は生まれつきのものではなく、経験によってその腕前は上がります。交渉力をアップさせるためには、経験とその理論の学習が必要となります。

　また、多くの人との交渉は、多様な価値観と相対することとなり、新たな知見を得て、自分を大きく成長させることにもつながります。看護管理者として、有意義な交渉を数多く経験することは、人としての幅が広がり、人との関係を深める手段になると言えます。

第2章

交渉が苦手な人へ
～合意に至る交渉は楽しいもの～

　筆者の経験から、看護師に「人とおしゃべりするのが好きか嫌いか」を尋ねると、「好き」と答える人が圧倒的多数です。特に女性はもともと声に出して心を整理するようにできており、話すことにより心が満たされるようになっているようです。人とのコミュニケーションが嫌いであったら看護というこの職業を選択しなかった可能性もありますし、実際に対話無しでは成り立たない職業です。

　では、「交渉が得意か苦手か」を尋ねると、得意な人の割合は間違いなく激減します。交渉は当事者同士がコミュニケーションを通じて行うものですが、話が上手いからと言って交渉が円滑にいくとは限りません。同じコミュニケーションなのに、なぜ違うのでしょうか。

　もしあなたが交渉を苦手とするなら、「どれだけ相手の関心や情報を集めたか」「相手はどうしたいのか」「相手の思いに対して何ができるのか」という準備をしたかを振り返ってみてください。

　おそらく、自分の思いをどのようにうまく通そうか、相手にわかってもらえるかという視点で交渉していたのではないでしょうか。そして、うまくいかないと「○○さんは、ひとつもこちらのことをわかってくれない」とすぐにあきらめてしまっていると考えられます。

　それは相手にとっても同じことが言えます。お互いが自分の想いのみを追求していくと、接点さえ見つからない場合も出てきます。相手がいちばん望んでいることと、自分がしたいことが合致し、合意でき

第1部　解説編

れば、お互いの満足度が最大になります。交渉は相手を受け入れることから始めることが肝要です。すなわち、合意に至ったプロセスが重要であり、プロセス自体に達成感を感じることができます。

　改善を目的に部下を動かすのも同じことです。人は意識が伴わなければ、そして心に響かなければ行動を変えることができません。相手の心を動かすためには、相手の状況や心情をよく理解していることが重要です。単に命令のみで動かすことは、望む結果が得られるとは限らず、継続もできない可能性があります。部下にやってほしいことがあれば、なぜやるのか、やるとどうなるのか、その意義とメリットを理解させなければ動機づけにはなりません。

　しかし、改善目的が上司だけのメリットでは、部下はやる気が起きないでしょう。部下が「やってよかった」と思えるような、交渉のゴール設定と提案が必要です。交渉が合意に至り、実行に至ることで目標達成となり、組織が動いたと部下が肌で味わえることは、部下自身の充実感と教育効果を生むことになります。

第3章

病院組織協力体制を築くための、とっておきの交渉スキルのポイント 職種別・職位別交渉の考え方

●看護部長の視点での交渉
～部下の育成と信頼関係の構築を！～

　近年在院日数が短縮する一方で、質の高い医療を提供するためには多職種間のチームワークが非常に重要となり、協調と連携は欠かせません。日常茶飯事である院内での交渉においては、視点は将来志向とし、お互いが協力関係をもち、協調的アプローチで交渉を進め、統合型交渉を推進していく必要があります（交渉アプローチについては後述します）。

　病院を管理している理事長や会長との交渉、病院長との交渉、他部門等との交渉は、看護部長の視点から問題解決に向けて改善の提案をする機会として組織を動かすために重要な交渉となります。

　看護部長は激動の時代を生き抜くために、先見力を持ち、変革のための戦略を立案し、実践することが求められています。まさに現状を打破していくためのパワーも必要とされます。しかし、現看護管理者が受けてきた看護教育は臨床実践に重きが置かれてきた事実があります。経営に関する知識や将来の病院の姿を描き目指すためには、看護部長としても学習が必要となります。さらに組織目標達成のためには、情報収集力、問題分析力、企画力、コミュニケーション能力、プ

第1部　解説編

レゼンテーション能力等を高め、他者と協働していかなければなりません。

　看護部長の立場で変革や改善をする際には、それぞれの交渉にはかなりの準備が必要となります。また、いずれの場合も現状把握と分析が必須となります。解決しなければならない問題は、現場から発生することがほとんどであり、組織方針を示すためにも、現場を把握する必要があります。それらの情報を収集するには、部下や他職種の協力が欠かせません。すなわち、看護部長1人でできることには限界があり、周囲をうまく巻き込むことが、生きた組織をつくるコツとなります。

　看護部長自身が組織目標に向かって「主体性」を持つことは、筆者は最重要であると考えており、最終的は必ず部下はついてくると信じています。看護部のトップとして信念を貫くパワーが必要です。

　看護部長が交渉を行う前提として、部下の育成や他部門との信頼関係の構築が重要なポイントとなります。さらに、現状や問題を認識し、看護職が働きやすい職場環境の改善に取り組むことも、部下を守り、関係性を構築する重要な要素となります。

　したがって、部下をどううまく動かすかが勝負の分かれ道です。前述しましたように、「動かす」イコール「心が動く」でなければ人は動きません。そのためには部下の強みを生かすことです。中間となる看護管理者やスタッフにできることから任せることです。

　任せることイコール放任ではありません。個人の能力に応じた支援と承認が重要となります。アブラハム・マズローの欲求段階説（図表1-2）によりますと、自分が集団から価値ある存在と認められ、尊敬されることを求める認知欲求が自我欲求となります。この作業が任せたことへの管理者の承認にあたります。さらなる欲求は自己実現の欲求となり、自分の能力や可能性を発揮し、創造的活動や自己の成長を図りたいと思う欲求となります。

第3章　病院組織協力体制を築くための、とっておきの交渉スキルのポイント

図表1-2　アブラハム・マズロー　欲求段階説

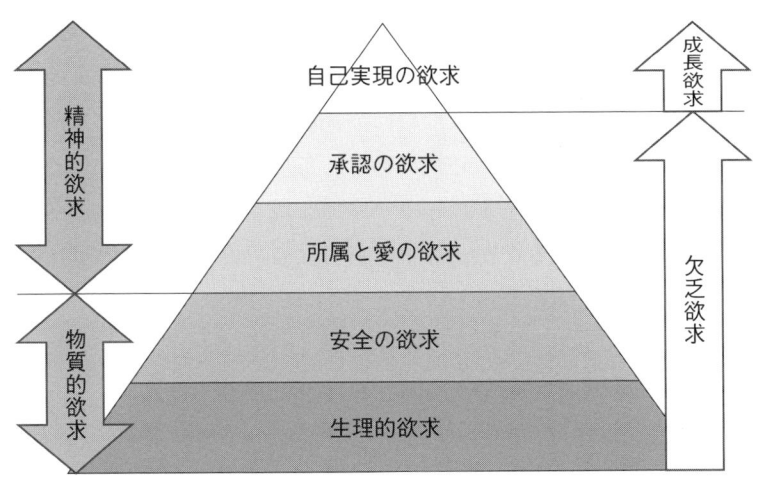

　筆者自身も課題ではありますが、部下を動かし、組織としての成果を得ることができる管理者ほど、優れた管理者であると考えます。信頼関係を築くためにも、トップリーダーたるものは部下を信じ仕事を任せたいものです。大切なのは部下が「やったぁ！」という達成の喜びを得ることであり、達成感は人を次への目標へと導くサインとなります。

　そのために看護部長は、中間管理者である師長や主任を通じて、スタッフ一人ひとりの知識やスキル、能力を把握し、本人が意欲的に仕事ができるよう、その人に合った業務を依頼し、支援していくことが重要です。

　部下を信頼し、権限を委譲すること、任せることにはそれなりのリスクもあり、成果が出るまで待つのは勇気がいることかもしれません。しかし、部下を育てるには、任せる仕事に必要な知識（情報提供）とスキルと判断能力を持たせ、動機づけをしたうえで、それを発揮できるチャンスを与えることが必要です。

第1部　解説編

　看護部長の最大の仕事は組織全体を俯瞰しつつ方向性を決定していくこと、変化への対応、そして繰り返しになりますが人材育成にあります。経営資源をマネジメントする役割があります。

　「強い文化」を持つ組織のために、組織目標に向かい、成果を上げるためには、部下の参画が必須であり、参画を促す際にはさまざまな交渉がつきものとなります。したがって、改革のための意思決定を迫られる場面が多々あるなか、部下とともに質の高い看護の提供ができるような決断や交渉を重ねていきます。

　その際には、交渉準備期間に時間を割くべきこと、あるいはただちに決定すべきことを瞬時に判断しなければなりません。

　P.Fドラッカーは、「あらゆる意思決定について、変更、状況変化の適応、応急措置の道を準備しておく必要がある。いかなる意思決定においても、可能な限り、起こりうる将来に備えておく必要がある」と述べています[4]。すなわち、常日頃から意思決定するための変化対応の準備をし、その場に応じた意思決定ができるようにするということになります。

　筆者は「時間管理」には重きを置いています。交渉においてもタイミングは重要であると考えます。時間は誰にとっても平等に与えられた資源でありながら、もっとも希少な資源です。

　P.F.ドラッカーは「マネジメントは常に現在と未来という2つの時間を考える」「行動することについて責任を持つ者は、すべて未来に向かって行動する」と述べていいます[4]。筆者は職員が出勤する前の6時半には出勤し、自らの有意義な時間として活用しています。部下と関わり合う時間は自分の時間としてコントロールできませんし、他者との関わりこそ大切にしなければ看護部長の役割は果たせないと考えます。さらに困難にチャレンジすることを楽しみ、優先順位を考え有言即実行している筆者ですが、他者の協力があるからこそと感じています。

第3章　病院組織協力体制を築くための、とっておきの交渉スキルのポイント

「時間を管理できないものは何も管理できない」いうP.Fドラッカーの言葉のように、時間も重要な経営資源ですから、看護管理者は自らタイムマネジメントの習慣をつける必要があります。

交渉による組織の改善に挑むこと、組織を活性化することは看護師の意識と行動が変革され、組織全体が目標指向的となります。看護部長の顧客は「師長と主任」、師長と主任の顧客は「スタッフと患者」であり、最終的には患者さんに最善のケアを提供すること、ひいては看護の質向上につながります。

鈴木義幸氏は「変えるべきことを変えることのできる柔軟性、変えるべきでないことを絶対に変えない一徹さ、その両方を備えてこそ、初めて人の心を動かすことができる」
と述べています[6]。

「何を言ったか」ではなく、「誰が言ったか」で、人は動くという言葉を耳にしたことがありますが、看護部長はパワーポジションでの「誰が言ったか」ではなく、一徹さと信頼関係からくる「誰が言ったか」により、スタッフを動かしたいものです。

●看護師長の視点での交渉
〜師長の交渉力が現場を支える〜

問題解決のための交渉の場合、まず必要な情報を収集し問題点をしっかりと把握する必要があります。繰り返しになりますが、そもそも問題の本質は何か、解決できる問題なのか、誰と交渉すれば解決できるのかを明確にする必要があります。この作業はどのような立場の人であれ重要です。

第 1 部　解説編

　しかし、管理的立場であればあるほど、論理的思考をし深掘りする必要があります。つまり、本来の管理者の仕事は、R.カッツの階層別能力要件（図表 1 − 3）にあるように、管理者は「コンセプチュアル・スキル」が必要となるからです。

　コンセプチュアル・スキルとは、複雑な階層や状況の中から、正確に本質を探り、問題を把握し、判断を下して意思決定をしていく能力のことをいいます。すなわち、総合判断能力・意思決定能力を意味します。

　したがって、それらの能力により、問題の本質を見極めることは重要となってきます。さて、その問題の本質を見極めるためには何が必要でしょうか。ベースとなる専門知識を増やすこと、多面的にみること、多様な情報から俯瞰して判断することです。

　仕事の改善は、まず師長自らが常日頃から問題意識を持ち、絶えず改善への探求を続けるところから始めます。多職種とかかわる業務や関係調整する立場にある師長は、交渉にあたり価値観の違い等から倫理的葛藤の場に多く直面すると思います。倫理的な問題は解決困難な

図表 1 − 3　R.カッツの階層別能力要件

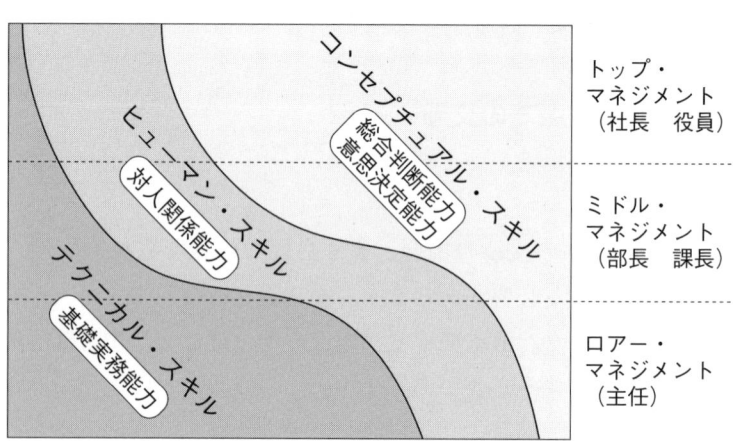

第3章 病院組織協力体制を築くための、とっておきの交渉スキルのポイント

場合もありますが、いかなる場面でも問題意識を感じたらその問題を文章化し、論点を整理しておきます。その論点がいくつかある場合は緊急度、重要度をつけ、双方が高いものすなわち優先度を考慮して交渉に向けて準備をします。

重要度はあまり高くなくても、緊急性のあることに関しては、即現場対応しなければなりません。問題点の原因を分析するには、証拠からスタートして、事実を集めます。証拠となる事実を出発点にして、「結果」から「原因」への事実を整理します。つまり、起こっている問題を逆のプロセスからたどります。

そこで重要となるのが「データ」です。交渉する相手にもよりますが、論理的に交渉を進める際には、根拠のあるデータがポイントとなります。問題が明確化できたら、前述のように交渉のシナリオを描き、状況に応じた交渉戦略アプローチから、可能な限り協調的アプローチで交渉を進めましょう（協調的アプローチについては後述）。

師長は、中間管理職という立場上、問題点の発見や改善案の考察を積極的に行い、看護部に報告し、看護部という1つの組織としての到達目標を達成していく役割、組織管理者としての自部署の部下を統率するリーダーシップの役割を併せ持ちます。

また、現場を統制するためには、さまざまな交渉をしながらスタッフを動機づけ、育成し、スタッフ自身の能力を向上させることにより、職場環境を改善へと導くことが重要です。と、言葉では簡単ですが、部下との交渉も容易なことばかりではないことでしょう。交渉は常に人間対人間が行う行為であり、人それぞれ個性も能力も考え方も違いますし、感情を持った生き物です。師長の想いが伝わらない場合に苛立ちを感じ、一方でスタッフは師長に理解してもらえないと嘆くこともあることと思います。

交渉の成立には、人間関係が大きく左右します。師長は組織目標達成に向かい、目指すべき方向性を失わずに信念をもって部下をけん引

していかなければなりません。師長がスタッフを理解し、支援することは必須の役割です。

鈴木義幸氏は「相手の話を全面的に受け止めるという姿勢を示すことで、相手の自発性を高めることができる」と述べています[6]。

看護の将来は、スタッフの成長と看護管理者のポジィティブなリーダーシップにかかっています。

筆者は病院の要は師長であると常日頃から感じており、師長次第で現場は大きく変わると痛感しています。患者・家族の対応も同じです。患者・家族の受け止め方や意思疎通の歯車がどこかで違った場合、関係改善のための対話・交渉の役割を師長が行うことになります。責任者としての対応は、患者・家族にとってとても重要なものと感じていますから、師長の一言一言はとても重いものとなります。

大変ではありますが、現場を支え、かつ自分の行っている管理そのものが見え、やりがいもある立場です。したがって、交渉のテクニックをマスターし、職員・患者満足度双方が高い職場として、リーダーシップの模範を示し改革に臨んでほしいと思います。

●医師との交渉
〜論理的なデータの作成と情報伝達を〜

事実、データ、証拠、根拠を常に求めてくるのが医師です。加えて、単なる情報やデータの提示ではなく、看護の専門職として、自分の意見はどうなのかを明らかにした上で交渉に臨まないと、医師は納得しません。すなわち、根拠や説明に納得しないと医師は動かないのです。

看護師として、職種を超えて交渉する機会は多々ありますが、医師はいちばん身近であるにもかかわらず、もっとも交渉が難しい職種と感じているのではないでしょうか。

第3章　病院組織協力体制を築くための、とっておきの交渉スキルのポイント

　そして、看護師と医師の間に何らかの問題が生じた場合は、師長はかなり神経を使って、両者の橋渡し役をしているここと思います。
　そのような場合、看護師の意見を代弁して医師の理解を求めるのは看護師長の役割です。また逆に、医師の立場・主張は、「なぜそう主張するのか」という理由を把握し、看護師に伝え、了解を求めるといった調整的な役割も求められます。
　医療現場ではチームワークが大切です。近年は、チーム医療が当たり前となり、看護師がチーム医療のキーパーソンとなり機能している病院も多いことでしょう。質が高く、安心・安全な医療を求める患者・家族の声が高まる一方で、医療の高度化・複雑化に伴う業務の増大により医療現場の疲弊が指摘されるなど、医療の在り方が根本的に問われる今日、「チーム医療」は、ますます重要な位置を占めるようになりました。同時にそのマネジメントも必要となります。
　一方で、ちょっとしたコミュニケーションの齟齬や誤解から、患者の命にかかわる医療事故を引き起こすこともまれにあります。そのような重大な責任を伴う現場の運営に欠かせない連携交渉は、非常に重要な位置を占めます。チーム医療の中心は患者です。どのような職種でも、どのような場面でも、最終目標は、「患者にとってはどうあるべきなのか」という視点で交渉を行うことで利害は一致し、交渉の合意形成に近づくことができます。
　以下は、医師との連携交渉の1例です。
　保健師助産師看護師法でいう看護師は、「診療の補助と療養上の世話を業とする」と定められていますが、看護師は医療の最終施行者となる場面が多く、医療事故を発生するリスクが高くなっています。医療事故防止のためにも、医師からの正しい指示、伝達が必要です。例えば特に、リスクの高い注射薬の「mg（ミリグラム）」と「mL（ミリリットル）」の伝達ミスなどは大事故につながります。したがって、医師にはその注射薬について、過去にどのようなヒヤリ・ハット

第1部　解説編

事例があったのかデータとして示し、医療事故防止のために、医師と看護師双方で対策を取り決める必要があります。また、このような約束事は特定の部署で決めるのではなく、病院組織全体での決定事項としなければなりません。

医師の使命・本質は「考えること」です。人間だれでも理由もわからずに仕事を押し付けられることを嫌いますが、医師は特にその傾向が強いように思います。専門職としてのこだわりがあります。医師によっては、パーソナリティの問題や、独善性ともとれる協調性のなさを感じている人もいると思います。

しかし、関係性が悪いと円滑な仕事もできませんし、何より患者への影響を及ぼす可能性があります。看護師はパートナーシップとして、互いを認め合い、医師にとって考える本質の追求にふさわしい環境をつくるなど、良好な人間関係を築かなくてはなりません。つまり、医師との交渉では、「判断」するための的確な情報を提供することにより、交渉の土台に立ちやすくなります。対応や処置の判断を誤らせないような的確な情報収集と論理的なデータの作成、情報伝達が重要となります。

医師との関係性が良ければ、医師の業務も円滑となり、業務成績も上がる、イコール経営改善にもつながります。経営もしかりですが、働く看護師にとって医師と最強のチーム医療の仲間として楽しく仕事をしたいですね。

第3章 病院組織協力体制を築くための、とっておきの交渉スキルのポイント

●コ・メディカルとの交渉

～お互いの業務を理解し合うことから～

　看護師は専門職としてコ・メディカルと協力して実践する業務が多々あります。なぜなら看護師は、患者の療養生活とともに一番近くにおり、「診療の介助」と「療養上の世話」を行う職種だからこそです。それぞれの医療専門職は、役割りが細分化され縦割り的な業務もあるのが特徴です。患者にとって全体最適な業務を実践するためには看護師とコ・メディカルが円滑につながる協力体制が重要です。

　例えば、リハビリテーション治療前後の患者の移送業務は、どの職種が行っても法に触れることはありません。患者の安全を考慮しサービスを提供するためには、誰がどのように行うのか、それぞれの病院での取り決めが必要です。

　また、薬剤師との業務連携の場面では、薬剤師が病棟配置となれば、配薬業務、服薬指導、医師・看護師へのコンサルトなどの業務は病棟薬剤師の活躍の場となり、病棟看護師はかなりの業務負担軽減になるでしょう。病棟薬剤師は専門性の発揮の場ともなり、患者への服薬指導等による質の高い医療の提供となりますが、看護師の教育の場や医療事故防止へとつながり相乗効果となると筆者は考えます。

　2012年度診療報酬改定では、薬剤師の病棟配置部分を手厚くしていますが、薬剤師のマンパワーがないと病棟配置は困難です。配置ができない場合は、薬剤師の増員なしでできること、看護師が薬剤師に望むことを明確にし、医療安全と患者の視点から交渉していく必要があると思います。

　コ・メディカルとの連携交渉は、お互いの業務を理解することから始めます。病院内に身近にいても、意外と他職種の1日の業務内容は知らないものです。お互いの業務流れ図（1日のスケジュール）を時

系列で作成し、交渉の際に情報交換・情報共有して、問題点をもう一度再確認・明確にし、改善策を立てるとよいでしょう。ここでも重要なのは、患者を中心とした視点で協議し、業務連携をしていくことです。

●事務職との交渉
〜医療現場が理解できる情報の提供を〜

　事務職員との交渉にあっては、交渉すべき問題点を整理・明確化し、情報共有のための改善策を提案（企画書等）します。

　提案書には5W2H（Who、When、Where、What、How、Why、How much）（誰が、いつ、どこで、何を、どうする、なぜ、いくら）を必ず入れます。提案が改善策である場合には、改善後の効果を必ず示します。効果は、具体的な費用対効果として数値で示します。数値にはそれだけ説得力がありますし、説得ができない数値は提案しても役に立ちません。

　事務職は、医療処置の専門家ではないため、説明をしても理解しにくい部分があります。そのため、相手にいかにわかりやすくプレゼンテーションできるかがポイントになります。

　例えば、より良い医療備品や材料の導入には、それなりの費用がかかります。看護師としても「いい製品が開発されたから欲しい」というだけではなく、そこで、現在の問題点をよく整理し、質の高い看護の提供を目的として何が必要かをよく吟味し、経営的側面（3M：ムリ・ムダ・ムラ）を考えたうえで費用対効果の説得材料を準備する必要があるわけです。すなわち、「背景や経緯の整理」「問題点の整理」「費用対効果を加味した改善策の提案」の3点を準備して、交渉に臨みましょう。

　事務職は、医療に関する知識はあまりなくとも、「魅力ある病院に

したい、集患力や患者満足度を高めたい、職員が働き続けられる病院でありたい」と思う気持ちは、私たち看護師と同じはずです。他の職種と同様、よりよい信頼関係を築き、より良い交渉の成果を出しましょう。

●患者・家族との交渉
～より良い信頼関係を築くための交渉を～

　近年、医療現場に対する国民意識は変化してきています。医療の質が高いことは当たり前のことになり、「高い質」だけで患者満足度が上がらないことが多々見受けられます。患者は、病院へ行けば症状を軽減してくれるという前提がありますので、病気を治してほしいという欲求は当たり前の水準なのでしょう。

　サービスを構成する要素には、コア・サービス、サブ・サービス、コンティンジェント・サービスがあり、サービスはこれらの要素が束になったものとなります。病院では診療自体がコア・サービスとなり、設備や看護はサブ・サービス、災害等の対応等の特別業務がコンティンジェントント・サービスとなります（図表1－4）。

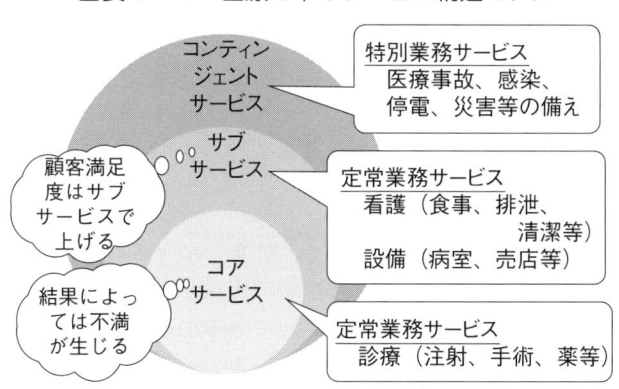

図表1－4　医療の中のサービス構造モデル

- コンティンジェントサービス → 特別業務サービス　医療事故、感染、停電、災害等の備え
- サブサービス → 定常業務サービス　看護（食事、排泄、清潔等）　設備（病室、売店等）
- コアサービス → 定常業務サービス　診療（注射、手術、薬等）

- 顧客満足度はサブサービスで上げる
- 結果によっては不満が生じる

第1部　解説編

　コア・サービスとして患者の期待する診療を提供できないと不満足につながります。患者満足度を高める要素は大部分が医療の質以外のところのサブ・サービスにあると言われています。
　そこには働く職員と患者との信頼関係がいちばんにあります。満足度は、体験者により異なる感覚ではありますが、事前期待を上回っていれば満足、下回っていれば不満となります。患者の不満や怒りはより身近であるほどあらわれます。したがって患者とのコミュニケーション自体が看護師の質として評価される場合も少なくはありません。
　通常、外来受診の場合、病院に来てから病院を出るまで患者を一貫して接する一人の職員はいません。
　初診の患者は、どのように診察して、検査をして、薬をもらって、会計をするのか不安で仕方がないでしょう。その場その場で職員から説明があったとしても、患者は診察の結果を不安に待つということだけではなく、病院そのものにいること自体すべてが不安なのです。
　例えば不安を抱く患者を前に、職員が不用意に「心電図検査はオーダーされていないですよ。間違っているようなので、内科の外来に戻ってください」と確認もせずに説明したとします。患者は言われたとおりに内科に戻ると、医師のオーダー入力が漏れていて、患者は再度、心電図検査に行きました。検査の受付で、「何回もすみませんね、あの医師はしょっちゅうミスるんですよね」と患者に言いました。
　こんなとき、あなたが患者だったらどう思いますか。「間違ったことは仕方ないが、なんて連携の悪い、そして人間関係がうまくいっていない病院なんだろう」と感じるのではないでしょうか。
　家族も同様ですが、患者は「自分を大切にされていない」ということ自体が不満なのです。大切にされるというのは、特別なサービスではなく、自分の情報を病院側はきちんと共有してほしいということで

す。病院の大小にかかわらず、患者情報を的確に伝えるコミュニケーションが必要であり、それが患者満足へとつながります。

　患者それぞれニーズは異なります。個々の潜在的なニーズまで掘り起こせるようなコミュニケーションがとれることが重要です。例えば入院病室に関して患者の希望に添えない場合が多々あります。まずは、患者がどうしてその病室を希望しているのか、理由を把握しておくこと、その上で病院では、どういう条件なら希望に添えるか明確に答えておくこともトラブル発生の事前対策となります。つまり、いろいろな場面で双方向のコミュニケーションが重要となります。十分に説明したつもりであっても、患者の精神的・身体的状況により、半分も聞くことができない場合もあります。

　ではここで、サービスの4つの基本特性について触れます。多職種との交渉と、患者・家族との交渉の大きな違いはこのサービスに違いがあり、サービスの特性を理解する必要があります。

1．無形性
  - サービスそのものには物理的実体がなく、触知不可能である
  - サービスは経験した後でないと評価が難しい。
  - 「口コミ」を重視している。
  - サービスの無形性はストックできない。

2．生産と消費の同時性
  - サービス提供その場その場でのみ存在し、在庫がない
  - サービスは生産される場所で消費される。
  - 看護サービスの品質管理は難しい。

3．結果と過程の等価的重要性
  - 看護サービスは、患者の体験の質に決定的な影響を与える。

4．顧客との共同生産
  - よい効果を上げるためには顧客の積極的な参加が必要。
  - インフォームドコンセントはそのための手段である。

第1部　解説編

　繰り返しになりますが患者は「自分を大切にされていない」ということが、不満となります。大切にされるというのは、特別なサービスではなく、自分のニーズや情報を病院側はきちんと共有してほしいということです。

　例えばある患者が一人の看護師Ａに伝えた「パンではなく、白米にしてほしい」と訴え、3日間待っても変わらないとしたらどうでしょうか。患者もしびれを切らし看護師Ａに確認したところ「あれ？主任には伝えましたが、変わっていませんか。すみませんでした。今日の夕食から変更しますね」と答えたとします。看護師Ａがすぐに栄養課に伝え手続しましたが、夕食はパンでした。そのようなとき、あなたが患者ならどう感じますか？不信感でいっぱいになりますよね。病院という組織は多職種であるからこそ、患者情報を的確に伝えるコミュニケーションと情報共有が必要であり、それが患者満足・不満足に直結するわけです。

　患者・家族の潜在的なニーズを掘り起こして対応することは、患者満足につながると同時に交渉においても円滑な合意に至る方法となります。つまり、いろいろな場面で双方向のコミュニケーションが重要となります。看護師が十分に説明したつもりであっても、患者にとって伝えたことがそのまま理解できているとは限りません。伝達という方法は、伝えた相手の解釈によってとらえるため、伝えることと伝わることは同じではないのです。

　患者が苦情をいうのは、それなりの理由があります。看護師は「何回も説明したのに」と怒るのではなく、何回でも理解できるまで説明が必要です。患者は説明しても

らっても理解できないことに納得がいかないと感じることでしょう。患者・家族との信頼関係がなければ、医療も看護も成り立ちません。相手の立場・心理を理解し、よりよいコミュニケーション、交渉テクニックに磨きをかけましょう。

第1部　解説編

第4章

会議の場における交渉
〜だから会議は面白い〜

　皆さんは月に何回、いや週に何回、誰とどのような会議をしていますか？どのくらいの時間を使っていますか？有意義な会議をされていますか？

　筆者自身もふと立ち止まると、病院内にはいかに多くの委員会や会議があり、本当にすべてが機能しているのだろうかと考えることがあります。当然、病院にはなくてはならない必須の委員会もありますが、ややもすると開くことだけが目的になっている不合理的な会議もないとは言えません。

　一方で人を集めること、人が集まること、この状況はこの上ない戦略実行に向けての交渉の場となることも事実です。時間を浪費するのであれば、開催側も、参加側も有意義な会議にしたいものです。たった一人では組織は動きませんし、一人の力だけで強引に動かすべきでもありません。だからこそ、多職種の会議で問題解決や協力体制等に向けた合意が得られたときは、とても幸せな気持ちになります。ワクワク感を持って臨む会議、だから会議は面白いのです。

　なぜうまくいかない会議と、いく会議とあるのであるのでしょうか？少し振り返ってみましょう。

- 何のための話し合いか、よくわからない
- 今回の会議で何をどこまで話し合うのかわからない
- 進行が行き当たりばったりで、論点があちこちに飛んでしまう

第4章　会議の場における交渉

- 会議に必要な資料が準備されていない
- 意見をする人は決まっており、他の人は意見を言える雰囲気ではない
- 沈黙が続き、参加者から意見を出そうという雰囲気がない
- 話がかみ合っていない
- 会議中よりも終了後に本音が出る
- 意見がまとまらず、時間がなく何となく終了してしまう
- 終了時に決定事項や自分が行うべきことが明確になっていない
- 会議に必要とされる人材が入っておらず、会議終了後に別の意見が出てやりなおしになる

　いかがでしょうか？いくつか思い当たる節はないでしょうか？これらの問題は、大きく2つ、メンバーの参加度と会議の目的や論点等のプロセスの共有不足にあります。メンバーの参加度が低いと予定通りに進行できず何も結果がでない状況に陥りやすく、プロセスの共有度が低いと議論がかみ合わず、井戸端会議のようになってしまいます。この2つが双方ともに低いと最悪な状況になることは皆さんもご察しの通りだと思います。

　多くの交渉は二者間のみではなく、もっと大きな集団の中で起こっています。会議で行うグループ交渉は、各自が自分の利害関係をもつ三人以上の人間が問題をどう解決するかというプロセスとなります。1対1の二者間交渉のスキルがそのまま当てはまるとは限りません。ただし環境は違っても、どちらの場合も自分の目標は最高の成果を得ることです。つまり、相手のニーズも引き出し、利害関係を統合かつお互いの目的を達成する手段を検討することになりますが、交渉者が増えれば増える分、調整という作業が膨らみ複雑化します。話し合う内容や発言・情報が多くなるほど複雑さは増します。交渉の合意に向けては、それら情報を集約したり道筋に焦点を合わせ修正することも必要となります。また、それぞれの意見が対立している集団では、皆

第1部　解説編

が公平に意見を述べられるようにすることも大切です。

　グループ交渉には複雑性が必ず混在するため、交渉合意のためにメンバー間での意見交換を短縮するようなプロセスにならないことが重要です。自分の意思が表出できずに結論となるのであれば、会議の意味がありません。交渉は準備8割と言われています。会議の準備を用意周到に済ませ、合意に至るための道筋もイメージできたと仮定します。

　しかし、用意周到に準備ができたとしても、うまくはいかないのが交渉です。交渉の流れはプロセスそのものであり、変化への対応が腕の見せどころです。したがって相手へ「問い」を行い意見集約し、その意見の「なぜ」を理解し、軌道修正が必要となります。各々のメンバーの知識・情報・視点は貴重なものであり、それらを活かすことが創造的で統合的な合意へと結びつくことが可能となります。ほかの人の考えを吸収する柔軟な姿勢は必要です。

　会議の目的は大きく2つあると堀公俊氏は述べています[44]。一つは、より良い成果を生み出すことです。多勢の人が知恵を絞って結果をだし、合意を得るという成果はその会議のゴールとなるものです。一方で、成果だけがすべてとはいえず、どんな話し合いをして成果にたどりついたか、その過程が重要といわれます。意思決定の過程に参加することで、結論の意味を正しく理解し、納得して受け入れようという気持ちが生まれます。納得できるプロセスで決まった結論だから、結果も納得できるのです。意思決定に参加できたことが、決まったことを実行する際のやる気につながり、これこそが会議のもう一つの狙い（目的）であると述べています。したがって、話し合いのプロセスにも準備が必要であり、結論の質や納得感を高める上でもとても重要なキーポイントとなります。

　では、話し合いのプロセス（図表1-5）について触れます。一般的な会議であれば、問題解決型か、目標探索型となります。委員会や

第4章　会議の場における交渉

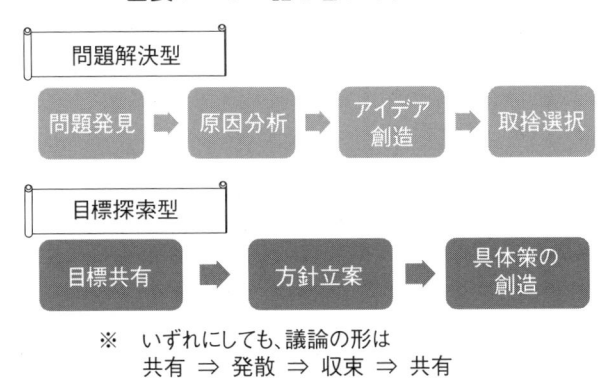

図表1−5　話し合いのプロセス

問題解決型
問題発見 ⇒ 原因分析 ⇒ アイデア創造 ⇒ 取捨選択

目標探索型
目標共有 ⇒ 方針立案 ⇒ 具体策の創造

※　いずれにしても、議論の形は
　　共有 ⇒ 発散 ⇒ 収束 ⇒ 共有

組織（部門や部署）として抱える問題点は何か、問題を発見し、課題を共有し、その原因を分析しつつ解決に向けての会議の中で提案します。課題解決に関しては、参加者それぞれの知恵と協力が必要になります。最後にいくつかの提案から取捨選択をして合意に導きます。また、委員会や組織が掲げる目標に対し、目標を共有し、方針や方向性を立案し、具体策を創造して実践に導き出すのが目標探索型です。いずれにせよ、会議の目的や論点を明らかにし、議論の形は共有から発散、収束、共有というプロセスをたどります。会議の参加者がより多くの意見を発散し、活発な意見交換・討議ができて最終合意が得られれば、情報共有から現場へ浸透がしやすくなると考えます。

　成功する会議には一定の法則があると寺沢俊哉氏[48]は述べています。先ほどの『話合いのプロセス』と同様の流れにはなりますが、参加するメンバーの意識や参加度のプロセスを示します（図表1−6）。

　参加メンバーが、会議の目的と内容や現状を把握できて初めて共鳴することができます。病院内の職員であれば情報は共有できているかというと、なかなかそうはいかず、他部門や他部署で起きている問題等まで把握できていないのが現実でしょう。逆に、隣の芝生は青く見えることのほうが多いかもしれません。会議の場で問題が共鳴できた

第1部　解説編

図表1-6　成功する会議のプロセス

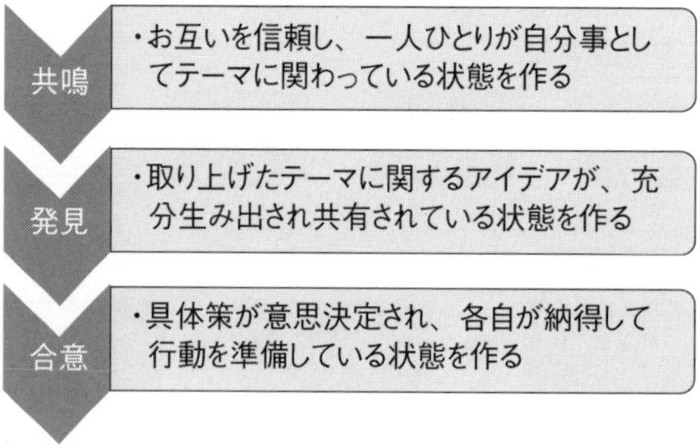

共鳴
・お互いを信頼し、一人ひとりが自分事としてテーマに関わっている状態を作る

発見
・取り上げたテーマに関するアイデアが、充分生み出され共有されている状態を作る

合意
・具体策が意思決定され、各自が納得して行動を準備している状態を作る

ら、参加者一人ひとりのアイデアの発見が始まります。改善策や解決に向けて、自分の立場から専門性を発揮した提案を考える作業、意見交換の場となります。意見するためには、自分がおかれている環境を理解している必要があります。ただ、会議は自由な発想で討議をしていくことが重要ですので、最終的な答えではなくても、「自分はこう考える」ということを話せることが重要です。十分な討議は、参加者の納得を生む結果（合意）とつながります。しかし合意を得ることがゴールではなく、そこから次の行動をイメージできること、準備に取り掛かることまでできて会議は成功したと言えます。

次に、会議に必要な企画要素を図表1-7に示します。共鳴、発見、合意のプロセスを生むためには、これらの準備が必要となると寺沢俊哉氏[48]は述べています。病院は様々な委員会が組織化されています。会議開催の理由は「定例だから」と開くことが目的になっている委員会もあるかもしれません。ですが、せっかく人が集まるのですから、何をどうしたいのかゴールを明確にして会議の成功に向け準備したいものです。筆者は『会議は戦略』だと考えていますし、会議で合意を得るための交渉がとても好きです。なぜなら、組織を動かすためには皆の意識を動かし合意を得なければなりませんから、そのため

図表1-7　会議の企画要素

1	範囲	会議で何を取り上げたいのか
2	開催理由	なぜ、いま会議をしなくてはならないのか
3	理想の姿	どうなっていたらよいのか
4	タイトルつくり	どのようにしたら理想の形になるか
5	会議のゴール	会議終了時、どのようになっていたら成功か
6	グランドルール	会議実施時に守ること
7	関連情報	おさえるべき関連情報（過去～現在）は何なのか
8	参加者	参加者メンバーは誰で、何を期待するか
9	時と場所	いつ、どのようにな環境で実施するか
10	進行表 （プロセス）	共鳴 ⇒ 発見 ⇒ 合意をどのように構成するか

の会議は変革の格好のチャンスであり、醍醐味です。『だから会議は面白い』のです。

　会議の場の交渉には、ファシリテーションスキルが求められます。人々の活動が容易にできるように支援し、うまく運ぶようにするのがファシリテーションです。会議ではメンバーの意見を引き出し、問題解決、意見集約、合意形成を行うのがファシリテーターですが、一般的に司会進行とファシリテーターが同一人物となる場合が多いと思います。研修等の場で行うファシリテーションは「支援」の要素が大きく、会議においては円滑に進めるための役割となります。最終的な結論はその会議の主催者（委員長等）が責任を持ち、会議のプロセスの円滑な進行と舵取りをファシリテーターが持ちます。自分はどの立場にいるのかによっても交渉の行方は異なりますが、変革を起こしたい、改善したいと望む会議には、それぞれの立場での会議への参加の仕方が異なります。主催者であれば、メンバーにいかにわかってもら

第 1 部　解説編

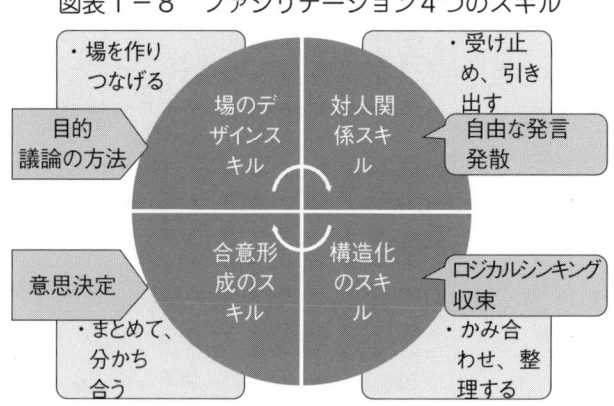

図表 1 － 8　ファシリテーション 4 つのスキル

- 場を作りつなげる
- 目的／議論の方法
- 場のデザインスキル
- 対人関係スキル
- 受け止め、引き出す
- 自由な発言／発散
- 意思決定
- 合意形成のスキル
- 構造化のスキル
- ロジカルシンキング／収束
- まとめて、分かち合う
- かみ合わせ、整理する

えるかを用意周到に準備するでしょう。ファシリテーターや一メンバーであれば、用意周到な準備の他に委員長をはじめ要となる人たちへの説明と同意を得てから参加をすることが合意に導く手段となります。これは「根回し」という日本特有の言葉になりますが、ゴールに向けた合意達成への重要成功要因となります。

　堀公俊氏[47]はファシリテーションスキルには 4 つのスキルが必要と述べています（図 1 － 8）。

　まずは、『場のデザインスキル』です。何を目的にして、誰を集めて、どういうやり方で議論していくのか、相互作用が起こる場づくりからファシリテーションは始まります。会議の主催者が自分であれば事前準備として当然行っていることですが、司会進行の立場としての参加の場合、主催者が意図していることは何なのかを十分に理解していないと会議は円滑に進みませんし、ゴールにもたどりつかないかもしれません。

　次に必要なスキルは『対人関係のスキル』です。情報を共有し、共鳴し、参加者それぞれの思いが意見として出やすいようにするためのスキルです。参加者の意見の裏側には「なぜそう考えるのか」が必ず

あるはずですから、そこに込められた意味や心の底にある本当の思いを引き出し、受け止め、皆で共鳴できることが議論を詰めるためのポイントとなります。

3つ目に『構造化のスキル』です。自由な発想で討議した議論の内容をかみ合わせながら全体像を整理して論点を整理します。論点が皆にもわかりやすく整理できていないと、話の内容が拡散し、その会議の最終ゴールに向かうこともでず時間が経過してしまいます。

最後のスキルは、『合意形成のスキル』です。論点がある程度絞られてきたら、構造的な合意に向けて意見をまとめていきます。全く意見を出さなかった参加者にも意見を求め、意思の確認をします。問題解決で言えば、意思決定のステップです。問題が大きいほど、あるいは意見が様々な観点から出るほど、まとまりにくいと思います。コンフリクトが起きる場合もあるでしょう。意見が対立している場合には冷静に立ち止まり、組織が目指しているビジョン、何がどうあるべきかを問いただすことが合意形成の重要なポイントになります。

では、実際によくありそうな事例を上げて、会議に企画書を作成してみます。

1．タイトル	「感染リンクナース活動の活性化を図るには」
2．現状と会議開催理由	看護部全職員の院内感染に関する知識レベルは上がってきている。しかし、「知っていること」と「できること」さらに「実際に遵守していること」には隔たりがあり、感染リンクナースも看護職員一人ひとりの感染対策遵守のために力を注ぐことに限界を感じ、積極性な活動姿勢がなくなってきている。どのようにしたら看護職員の意識の改革ができるか、感染リンクナース活動で何ができるか討議したい。
3．理想の姿	院内感染の予防・再発防止策及び集団感染事例発生時の対応が適切にでき、患者に安全かつ安心な療養生活を提

第1部　解説編

		供する。
4．今回の会議のゴール	1.)	現状から課題を抽出し、課題のうちで一番優先度の高いものを検討、決定する
	2.)	上記で決定した課題に取り組むために弊害となることを洗い出す
	3.)	感染リンクナースがまず何から取り組んでいくかがわかる
5．時間・場所		業務時間内　15：00〜17：00　　カンファレンス室
6．参加者		感染リンクナース10名、感染管理認定看護師、司会：感染対策委員（師長）
7．関連情報		会議前の準備
	1.)	感染管理認定看護師は各部署のサーベイランスデータを準備。また、各部署の感染対策遵守状況を可能な範囲で情報提供できるよう準備しておく。
	2.)	委員長の師長は、管理者の視点から見た各部署の感染対策の課題を師長会において事前に議論し、部署別に情報を整理しておく
	3.)	感染リンクナースには、自部署における感染対策上の課題と自分が行っている活動を整理して参加するよう、事前課題として会議3週間前に依頼する。
8．グランドルール	1.)	他部署の活動や意見は批判しない。まずは共鳴し、情報を共有すること。
	2.)	様々な観点から自由な発想で全員が意見を述べること
	3.)	会議の内容は自部署の管理者に報告し、浸透すべきことはフィードバックすること
9．進行表（プロセス）	15：00	司会者による会議のテーマ、内容、進行と会議のおおよそのゴールを説明
	15：10	感染リンクナースの事前課題の依頼した内容を一人3分で発表
	15：40	師長会で討議した各部署における感染対策上の課題を発言
	15：50	感染管理認定看護師による情報提供
	16：00	3者の情報から課題のうちで一番優先度の高い

	ものを検討、決定する
	16：10　決定した課題に取り組むために弊害となることを洗い出す
	16：20　まとめ　感染リンクナースは取り組みの第一歩を明らかにし終了

　いかがでしょうか。会議は変革のための交渉の場です。変革のための会議は実に面白いものです。1回の会議に関し、これらの企画を考えて開催した場合と、準備しないで開催した場合とでは、得られるのが違うのはおわかりでしょう。経費も考えますと、会議は1人1時間だとしても、15人集まれば15時間、約2日分の労働人件費を浪費するわけです。時は金なり、時間も人の心も有効に使いたいものですね。

第1部　解説編

第5章

交渉の基本的な考え方とテクニック

● 交渉とは

　交渉とは、広辞苑によると「相手と取り決めるために話しあうこと。かけあい。談判。」とあります。交渉の「交」は人が足を交差している姿からきます。「渉」は川を歩いて渡るところから来ています。意味は相互に譲歩の意味合いがあります。つまり、交渉は、歩み寄るという極めて紳士的な行動を示している用語なのです。

　交渉の最低条件は2人以上の人間の存在が必要となります。そこで、問題や課題が生じた時に話し合いによって解決する方法を交渉といいます。交渉という言葉を聞くと、「自分の主張を押しとおすこと、あるいは説得し言い負かすこと」と、感じている方も多いのではないでしょうか。また「交渉力」「交渉術」という言葉を聞くと、経済的・政治的・心理的な圧力のイメージが浮かぶかもしれません。それらはまったくの誤解です。お互いが気持ちの良い合意を形成するための手段が「交渉」です。

　交渉とは本来、「合意形成を前提とした、双方向のコミュニケーション」といえます。つまり、交渉は勝ち負けではなく、「自分と相手方の価値交換に関する合意を導き出すためのプロセス」と定義され、このプロセスの結果交換される価値がお互いに重要度の高いものほど満足度が高い交渉になります。したがって、双方があるべき姿を共同で協議し、自分と相手方の双方が満足できる着地点を見出して価

第5章 交渉の基本的な考え方とテクニック

値創造を行い、問題や課題を解決させる能力が交渉力です。また、交渉にあたっての姿勢は「倫理」が重要であり、双方の理性、誠実さ、そして熱意が正しい方向に導く源になります（図表1－9）。

双方にとって満足のいく交渉論を初めて唱えた交渉の方法論は、ウィリアム・ユーリー著のハーバード流交渉術です[12]。ハーバード流交渉術は、非常に合理的なロジックの交渉術です。交渉相手を打ち負かす交渉ではなく、交渉相手を納得させ、交渉が終わった後、両者が満足する結果を得ることを最大の目標としています。そこが、そもそも伝統的な、勝ち負け勝負の交渉術とは抜本的に異なります。相手に屈服感、敗北感を与えないで、自分の利益を獲得し、目的を実現するための方法論で、ビジネスの世界、政治、外交の場で非常に有効な方法論です。ここで、交渉の一例を紹介しましょう（図表1－10）。

ここで、ハーバード流交渉術について、少し説明を加えます。

ハーバード流交渉術は、「原則立脚型交渉」とも呼ばれます。ハーバード流交渉術では、4つの基本点を取り上げています（図表1－11）。まず第1点は、「人と問題を分離せよ」ということです。人間関係に何らかのコミュニケーショントラブルが生じた場合、人は問題そのものよりも「相手が悪い」と人に問題をすり替えてしまう場合が少なくありません。筆者の周りでもよく起きている現象であり、当事者は感情的となり問題の核心からそれていることに気づかない場合も多いため、冷静に「問題は何か」を振り返りさせています。

2点目は、「立場ではなく利害に焦点を合わせよ」です。立場とは望む結論や主張であり、利害とは主張の背景にある理由です。主張するには、何らかの理由があるわけであり、その理由を理解することで納得し、対応できることもあるのです。例えば、8歳の患児が「注射は絶対にイヤ」と点滴を拒んだとします。看護師は、針を刺すことが怖いのだろうと想像し「痛く刺さないから絶対に大丈夫」と説明します。ですが、患児が点滴をきらう理由は他にありました。6歳のころ

図表1−9 交渉プロセス

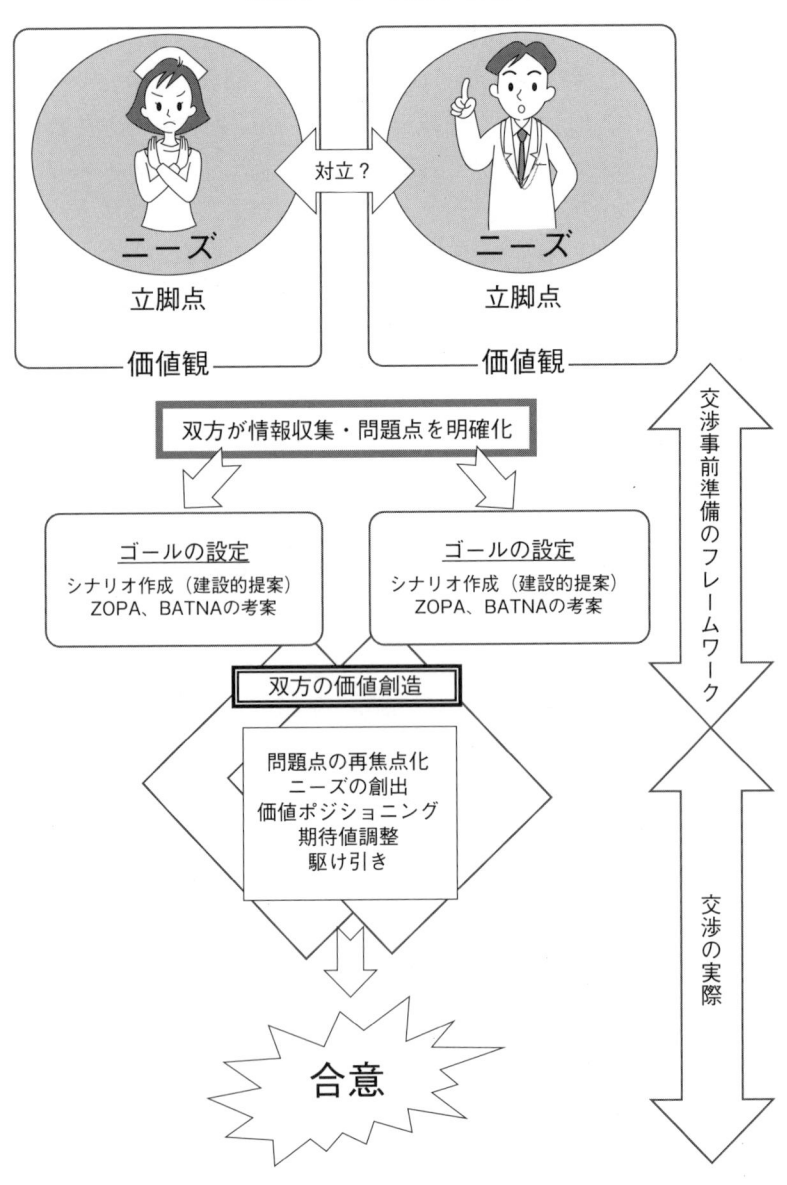

対立？

ニーズ　立脚点　価値観

ニーズ　立脚点　価値観

双方が情報収集・問題点を明確化

ゴールの設定
シナリオ作成（建設的提案）
ZOPA、BATNAの考案

ゴールの設定
シナリオ作成（建設的提案）
ZOPA、BATNAの考案

双方の価値創造

問題点の再焦点化
ニーズの創出
価値ポジショニング
期待値調整
駆け引き

合意

交渉事前準備のフレームワーク

交渉の実際

出典：鈴木有香[18] より改変

第5章　交渉の基本的な考え方とテクニック

図表1-10　交渉の一事例

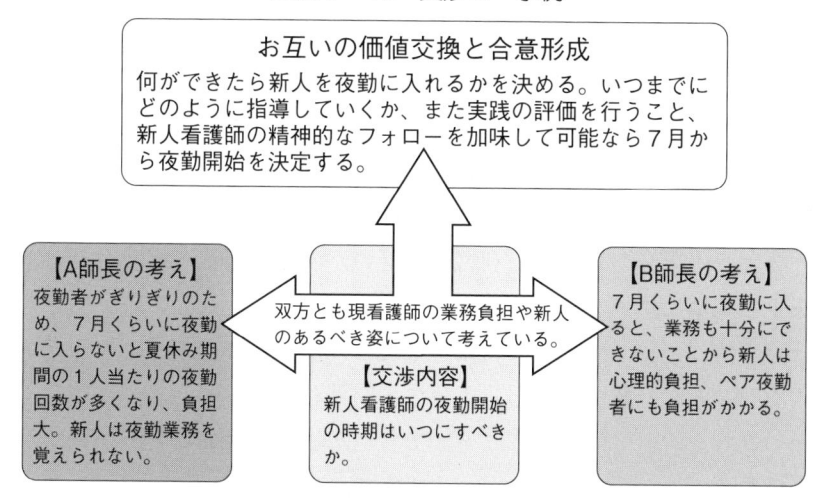

お互いの価値交換と合意形成
何ができたら新人を夜勤に入れるかを決める。いつまでにどのように指導していくか、また実践の評価を行うこと、新人看護師の精神的なフォローを加味して可能なら7月から夜勤開始を決定する。

【A師長の考え】
夜勤者がぎりぎりのため、7月くらいに夜勤に入らないと夏休み期間の1人当たりの夜勤回数が多くなり、負担大。新人は夜勤業務を覚えられない。

双方とも現看護師の業務負担や新人のあるべき姿について考えている。

【交渉内容】
新人看護師の夜勤開始の時期はいつにすべきか。

【B師長の考え】
7月くらいに夜勤に入ると、業務も十分にできないことから新人は心理的負担、ペア夜勤者にも負担がかかる。

図表1-11　ハーバード流交渉術の基本

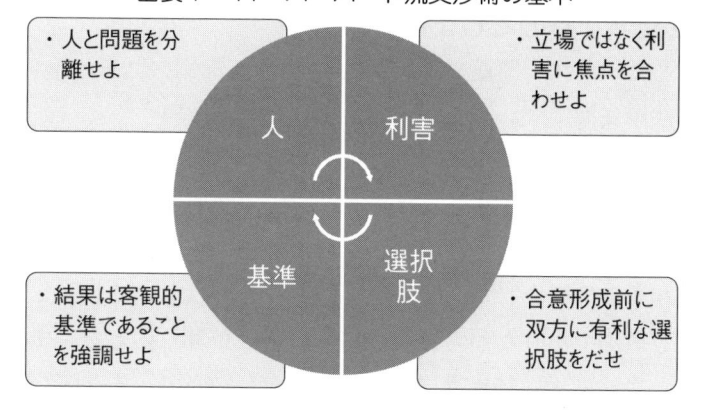

・人と問題を分離せよ（人）
・立場ではなく利害に焦点を合わせよ（利害）
・結果は客観的基準であることを強調せよ（基準）
・合意形成前に双方に有利な選択肢をだせ（選択肢）

入院し点滴をした経験があり、その時にお漏らしをしてしまったという非常に恥ずかしい思い出が頭に残っていたからなのです。「注射はイヤだ」という理由がわかっていれば、対応も違ってくるわけです。

　3点目の基本点は、「合意達成を急ぐ前に双方に有利な選択肢を出せ」ということです。正しい解決策はただ一つしかないと思い込まな

39

いようにすることです。双方に共通の利益は何か、相反する立場を創造的に調整できるような解決策をできるだけ多く考えだすことが重要となります。

最後の4点目の基本点ですが、「客観的基準を強調せよ」です。当事者同士の都合による基準ではなく、公平な基準によって結論を出すことが解決に導く手段となります。

要は、当事者の基本的な利害、お互いが満足できる選択肢、そして公平な基準に焦点を会わせた原則立脚型交渉術は、立場の駆け引きとは対照的に、総じて聡明な結果をもたらすことができます。そして、人を問題から分離することによって、交渉相手と人間として直接的にかつ共感をもって触れ合うことができ、そこに友好的な合意が望めるわけです。

●なぜ交渉するのでしょうか

前述したように、問題や課題が生じたときに話し合いによって解決する方法が交渉です。したがって、交渉をするということは、問題解決に向けて現状を打破する手段をとるということです。

自らの力で解決できることは、交渉をする必要がありません。人はいったん問題が生じると、自分の都合から物事を考えがちです。このため、相手の非難をしてしまうこともあるのではないでしょうか。また、同じ職場でありながら、隣の職場の芝生が青く見えてしまうこともあると思います。無意識に、縄張り意識が働いてしまうのかもしれません。

しかし、同じ目標に向かう仲間であることを忘れてはなりません。お互いが現状を改善したいと思って交渉するのです。人同士が対立してしまっては、交渉の土台につけなくなります。交渉の相手が問題なのではなく、事柄だけに絞って原則立脚型交渉をするべきです。

日常の何気ない交渉から病院組織を動かす交渉まで交渉内容の違い

はあっても、基本は同じです。相手が人間であるからこそ、良好な信頼関係の構築と継続性が重要です。そのためにも交渉による合意形成はつきものとなり、信頼関係こそがその後の交渉を容易にさせる近道となります。関係性が築けない中での交渉は、難題となります。良好な関係が永続となるような交渉を重ねていくことが重要です。

●交渉プロセス8つの構成要素
～交渉成功の秘訣は事前準備！～

　交渉を行う上で重要なのは、事前準備であり、交渉がうまくいくかどうかは「準備8割」といわれています。交渉が困難であればあるほど、綿密な準備が必要となってきます。準備する時間の余裕がないという人でも、15分間交渉の時間を削ったとしても、準備をすることのほうが交渉を効果的なものにします。

　準備にあたり、交渉力の8つの要素（図表1-12）を踏まえて論理的な思考をしていくことが肝要です。

　交渉プロセスにおける8つの要素は、順番どおりの一元的なフローではなく、重層的なプロセスであり、事例によりどのプロセスが重要

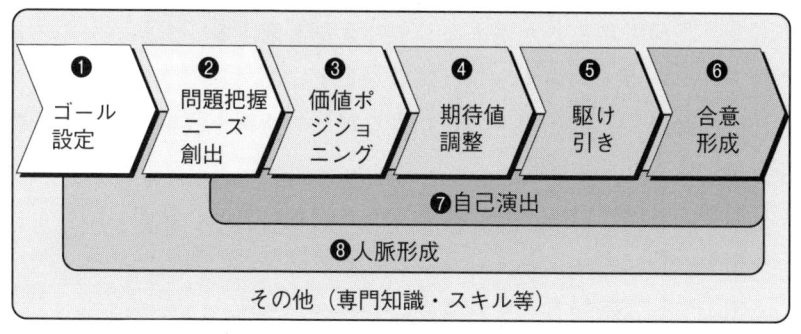

図表1-12　交渉の8つの構成要素

❶ゴール設定	❷問題把握ニーズ創出	❸価値ポジショニング	❹期待値調整	❺駆け引き	❻合意形成

❼自己演出
❽人脈形成
その他（専門知識・スキル等）

出典：経済産業省

かを見極め、集中的にパワーを配分することが交渉成功へとつながります。

① ゴール設定

　ゴール設定とは、交渉でどこまでを実現したいかという着地点です。その交渉の先には最終的に目標とするミッションがあります。ゴール設定は、交渉において最も重要な要素です。

　交渉を行ううえで忘れてならないのは、相手も自分と同様に、それぞれの主義・主張や価値観、欲求を持った存在であるということです。しかも、その価値観は自分と同じとは限りません。同じであることのほうが少ないと言っても過言ではないでしょう。

　したがって、以下を前提に交渉に臨むこととなります。
- 自分の意図どおりに交渉が運ぶとは限らない
- 交渉で自分の望む結果が得られるとは限らない
- 交渉結果に対するとらえ方（評価）が自分と同じであるとは限らない

　つまり、相手の考え方、価値観をしっかりと理解し、妥当な交渉の運び方（プロセス）を計画し、交渉の主目的を設定しておくことが、交渉のスタートとして最も重要なポイントとなります。

　そのためには、自分と相手が置かれている状況を理解する「状況評価」と、状況を踏まえた妥当なシナリオを準備する「交渉ゴール・目標設定」の2点を準備することになります。

　「状況評価」とは、相手の知り得る限りの情報を収集し、以下を把握し評価することです。
- 相手の意図、目的（特に背景にある隠れた意図、真の目的）
- 相手が特に大切にしていること、価値観など
- 相手の利害関係者とその意思、影響の方向性

　また、相手の状況評価のみでなく、自分の状況を評価し、優先順位

をつけておくことも重要です。

「交渉ゴール・目標設定」のポイントは、
・ 状況評価に基づき、妥当な交渉のゴールを設定する
・ 目的に関して、MUST（絶対外したくない条件）と、WANT（できれば外したくない条件）の優先順位をつける。
・ 代替案、オプションを含めたシナリオを作成する

ことにあります。つまり、相手の出方を予測して、どう対処するか、何をどう伝え、条件をすり合わせていくかという全体の交渉の戦略（ストーリー）を決めることとも言えます。

ゴール設定を自分の利益（メリット）重視にしてしまうと、関係が発展できません。双方にとってメリットのある交渉ゴールを設定することが重要です。

患者の看護の場面に置き換えれば、患者・家族から身体的・精神的・社会的側面の情報を収集し、看護目標を設定する際に、看護師が一方的に目標を決めるのではなく、患者や家族も参画をして、目標を同じく決定していくのも交渉の1つになるでしょう。

② **問題点の把握とニーズ創出**

交渉成立のためには、交渉に必要な情報を収集・活用し、交渉すべき問題点を明らかにする必要があります。そもそも問題の本質は何か、解決できる問題なのか、誰と交渉すれば解決できるのかを明確にする必要があります。

問題を把握するうえで、3つの視点からとらえます（図表1－13）。問題は外部要因と内部要因（個人的要因と組織的要因）に分かれます。交渉の相手を外部要因ととらえ、外部要因の情報を整理します。

内部要因を知ることは、己を知ることであり、個人的な要因のほかに、組織的な要因は何かを整理します。外部要因と違って、内部要因はマネジメントで変えていくことが可能な要因です。問題が起きた際

第 1 部　解説編

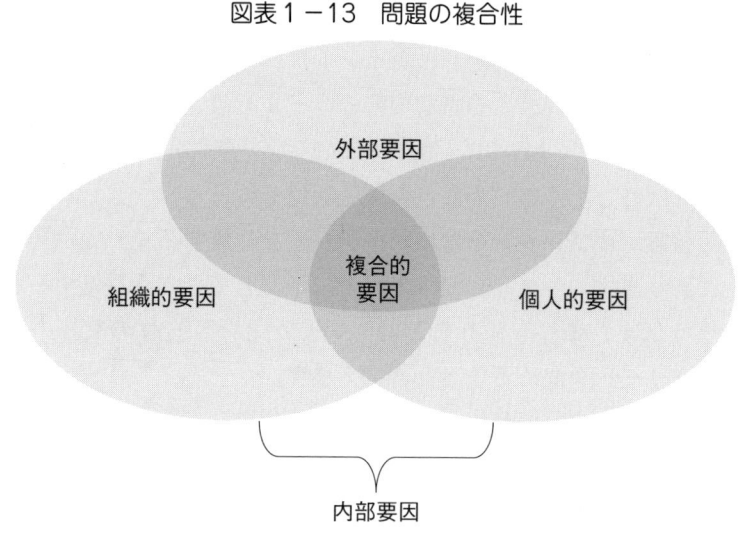

図表 1-13　問題の複合性

外部要因

組織的要因　　複合的要因　　個人的要因

内部要因

出典：大串正樹[24]

に、いきなり外部と交渉するのではなく、自分の組織を含めて原因を分析する必要があります。

　しかし、マネジメントでも内部要因の問題解決ができない場合、あるいは外部要因を含めた複合的な問題は、内部であっても外部であっても交渉となります。つまり、まずは交渉の土台に着く前に、問題の本質はどこから来ているのかを知ることが重要です。

　大串正樹氏[24]によると、問題本質を知るためには、①問題の原因を分別整理（内部要因・外部要因）する、②関係性を明らかにする、③原因の深刻さと、解決にようする困難さを明らかにする、④解決の優先順位を決めて取り組む、などが必要であると述べています[24]。

　プロセスを踏んだ対応が重要である理由は、問題はその要因が単独で起こっているわけではなく、複合的・重層的に関連し合っている場合が多いからです。複合的な問題を整理することは、相手への交渉内容を明確化することにつながります。

第5章 交渉の基本的な考え方とテクニック

　交渉にあたって、問題点を明確化すると同時に、お互いの真のニーズは何なのかをも明確化する必要があります。お互いが、本来持っているニーズに気づいていない場合もあります。したがって、自分が交渉しようとする提案が、相手にとってどういう意味なのかを見極め、また同時に、相手が持っている本来のニーズにあわせて潜在的なものも含めて理解する必要があります。

　ニーズ創出とは、お互いの本来持っているニーズを引き出し、相手の気づいていないニーズまでつくりだす（創出）ことをいいます。「交渉は何のために行うのか」という本来の目的を何度も問いただしていきます。

　ニーズを創出するには、ニーズの開拓とニーズの開発が必要です。ニーズの開拓とは、相手の本来の目的や実現したいことを把握し、それを満たすことです。

　ニーズには、顕在ニーズと潜在ニーズがあり（図表1-14）、潜在ニーズを掘り起こして把握することが相手により深い満足を与え、交渉を成功に導くポイントとなります。つまり、潜在ニーズを顕在化させ、本当に相手が望んでいることは何なのかを理解します。そのためには徹底的な情報収集と想像力も必要となります。そして、自分が交

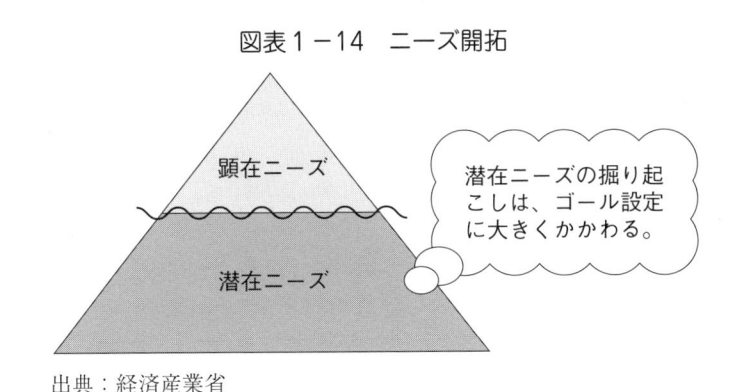

図表1-14　ニーズ開拓

顕在ニーズ

潜在ニーズ

潜在ニーズの掘り起こしは、ゴール設定に大きくかかわる。

出典：経済産業省

渉したい提案の価値をさらに分析、検討し、相手にとって有用な価値を見出してニーズを創造するニーズ開発が重要となります。ニーズ開発をする際に前提として理解すべきなのは、「価値を感じるのは自分ではなく相手である」ということです。

また、問題解決の視点から情報を整理する際の考え方として、紛争の分析（IPI 分析）があります。IPI 円形マップ[35] を図表 1 − 15 に掲載します。IPI とは、イシュー（(I)issue）は問題の論争、ポジション（(P)position）は相手の主張や欲求、インタレスト（(I)interest）は根本的ニーズとなります。

当事者間に存在している「問題」そのものに焦点をあて、その解決を考えます。IPI 展開で最も重要なポイントは、インタレストになります。争点となっている問題のイシュー(I)に対して、表層に表れている主張がポジション(P)です。表面化した主張の背景には、実は潜在した感情や欲求があります。例えば、怒りの裏には自身への後悔や今後への不安といった、別の感情が隠れていることがあるのです。対話をとおして、自分でも気づいていない潜在的なインタレスト(I)に気づくことによって、相手に変化を起こすことが可能となります。

ここでジョハリの窓について簡単に触れます（図表 1 − 16）。

人と他人との関係における情報を、どのように分けられるかを表したものです。横軸は「自分が知っている」と「自分が知らない」です。自分が、相手のことをどのくらい知っているか、その度合いを示します。縦軸は「他人が知っている」と「他人が知らない」となっており、相手が自分のことを知っている度合いを示します。これによって、「開かれた窓」「隠した窓」「盲目の窓」「暗い窓」の4つに分類されます。

第5章　交渉の基本的な考え方とテクニック

図表1-15　IPI円形マップ

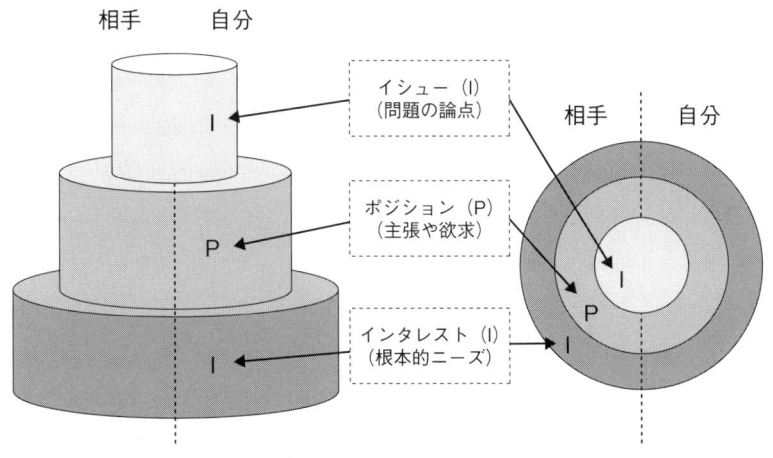

- イシュー（I）（問題の論点）
- ポジション（P）（主張や欲求）
- インタレスト（I）（根本的ニーズ）

出典：和田仁孝／中西淑美[35]より改変

図表1-16　ジョハリの窓

		自分にとって	
		知っている	知らない
他人にとって	知っている	① 開かれた窓	③ 盲目の窓
	知らない	② 隠した窓	④ 暗い窓

第1部　解説編

　交渉場面に置き換えると、お互いの交渉にとって、この窓の位置関係によってお互いの人間関係がわかると同時に、交渉の結果が想定できます。お互いの潜在ニーズを顕在化させるためには、この「開かれた窓」をいかに大きくするかがポイントとなります。

③　価値ポジショニング

　交渉とは相手との間で「価値の交換に関する合意」を導き出すプロセスです。「価値ポジショニング」とは、提供可能な「価値」を相手の立場に立って洗い出すこと、相手が提供可能な「価値」を自分の立場から洗い出し整理する作業をいいます。

　価値には多面性があることから、相手の潜在ニーズを、自分が持つ何らかの価値で満たすことができるかを検討します。つまり、前述した潜在ニーズを引き出さないと、相手の価値も把握できません。

　お互いの価値を整理し、分析できたと仮定します。次の準備作業は、「自分にとっては価値が高いが、相手にとってはそうではない要素」を見出します。

　ある1つの事柄の価値は、それを使う人により大きく異なることが価値の相関関係を活用するうえで最大のポイントになります。つまり、双方がある価値交換のあり方を考察し、合意に至る交換戦略を模索することが重要です。どの提供価値とどの獲得価値を組み合わせ、交換の戦略をくみ上げるかにより、同じ交渉でも相手に満足度の差が生じることになります（図表1－17）。

④　期待値調整

　相手の交渉に対する期待を現実的なレベルに調整することを、「期待値調整」といいます。進めようとしている交渉に対する認識・優先順位が、相手と自分とで同じであるとは限りません。相手が、当該交渉のメリットや価値を十分認識できなければ、交渉の土俵には乗らな

第5章　交渉の基本的な考え方とテクニック

図表1-17　交換戦略の例

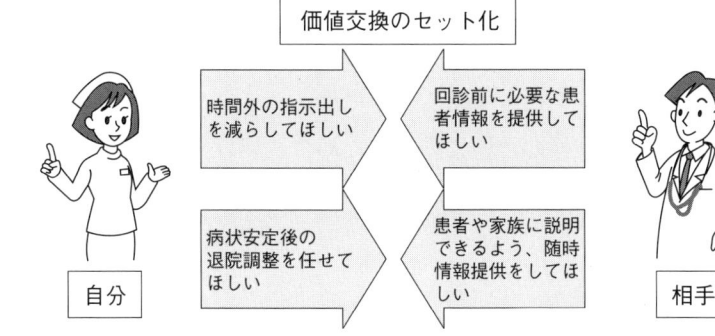

価値交換のセット化

自分：時間外の指示出しを減らしてほしい／病状安定後の退院調整を任せてほしい

相手：回診前に必要な患者情報を提供してほしい／患者や家族に説明できるよう、随時情報提供をしてほしい

い可能性があります。したがって、交渉を通じた価値交換に魅力を感じさせる必要があります。

　交渉を通じて相手が得られるメリットを明示することを通じ、相手の交渉に対する動機づけを強化します。これらを「価値演出」といい、交渉の土台をつくること、また相手から新たな価値提案を引き出すことができるメリットがあります。一方で、あまりに過大な期待を抱かれると交渉が合意したとしても、最終的な満足度が低くなる可能性があります。現実化のスキルにより、デメリットを含めて交渉の正確な姿を使え、期待値を現実的レベルに落ち着かせておくことにより、交渉に対する満足感を高めることが可能となります。相手の得るメリットを正確に見極め、正しい「見せ方」をコントロールすることが重要なポイントとなります。

⑤　駆け引き

　駆け引きのテクニックは、自分が何かを譲ることを引き換え条件として、相手の譲歩を要求することです。

　交渉は価値の交換をお互い最大化するプロセスですが、現実の交渉においては往々にして、相手が一方的に得をしようと決めていたり、

第1部　解説編

相手がこちらの意図を誤解したり、こちらが相手を信用できない状況が起きているのではないでしょうか。結果的に、相手がきく耳を持たないために、こちらの主張を伝えきれずに交渉が進まない、あるいは中断してしまうケースは良くあることです。

そこで、相手を交渉の土俵に乗せるために、駆け引きの力が重要となります。すなわち、どのように自己主張をするかを考える必要があるということです。

自己主張とは、相手の雰囲気や環境に臆することなく、<u>自分の伝えたいことを相手に明確にかつ理解しやすい方法で伝える</u>ことです。単に強情に自己主張するということではありません。

自己主張のポイントとして、
- 自分が主張したいことに優先順位をつける。MUST／WANT を区分し、自分の望むことを何でも押し付けようとしない。
- 相手の出方を考え、主張の条件設定を考える。つまり、自分の要求と相手の要求を組み合わせ、接続を考える。

ということがありますが、価値交換戦略の立案とリンクさせて考えることが重要です。

交渉において陥りがちな罠として、相手が何か隠しているという疑心暗鬼な気持ちになったり、相手が一方的に有利に進んでいるという不信を持ったりすることがあります。したがって、双方にとってフェアに交渉が進展していると相手に感じさせる「交渉演出」が重要となります。

交渉演出のポイントは、交渉プロセスにおいて合意してきた点、できなかった点をクリアにし、お互いが得たメリット、被ったデメリットを整理し、相手に認識させる意味で「譲歩した点とそれにより相手方が得られるメリット」を明確にして相手に知らせることです。

また、相手が気づいていない問題点があれば、可能な限り進んで指摘し、解決策を一緒に提言することも必要です。

駆け引きの際に、重要な影響を及ぼすのはパワーバランスです。パワーバランスとは、相手を動かす心理的要因の影響力のことをいいます。交渉の結果は、強者の意思に決められる場面も少なくありません。

　病院という組織を例に見ると、立場でいえば医師が主導権を握る場合が往々にしてあると感じる職員も多いのではないでしょうか。主導権は心理的に優位に立ったものが握りますが、この主導権は固定ではなく、変化します。

　その理由は、パワーバランスの決定要因は「固定要因」と「変動要因」の2つに分かれ（図表1-18）、変動要因は交渉当事者の知識とスキルの格差、BATNA（代替案）の有無、態度・話し方、会話の支配権、時間的制約、場所的環境条件などで、常に変化し続けるからです。一方、固定要因は、上司・部下、年上・年下、男性・女性、職種間等々があり、こちらの変化はあり得ません。

　パワーバランスのうち、固定要因は変えようがありませんので、変動要因をコントロールすることが交渉を合意に導くポイントとなります。

⑥　合意形成

　「合意形成」とは、利害の異なる複数の人間が、最終的に何らかの結論を出すことを指します。交渉の途中プロセスがいかにスムーズに進んでも、最終的に合意に至り、契約（約束）を交わさなければ、最終ゴールに到達したとは言えません。

　交渉担当者と、最終意思決定者が異なる場合が多々あります。組織としての交渉場面では、個人と個人で合意ができたとしても、最終的に必要な会議で承認されることが決定

第1部　解説編

図表1-18　パワーバランスの決定要因

```
            パワーバランスの
               決定要因
         ┌─────────┴─────────┐
      固定要因              変動要因
    （立場の違い）        （状況による変化）
```

- 固定要因（立場の違い）
  - 年上―年下
  - 上司―部下
  - 男性―女性
  - 他職種間

- 変動要因（状況による変化）
  - 交渉当事者の知識・スキルの格差
  - BATNA（代替案）の有無
  - 態度・話し方
  - 会話の支配権
  - 時間的制約
  - 場所的環境条件

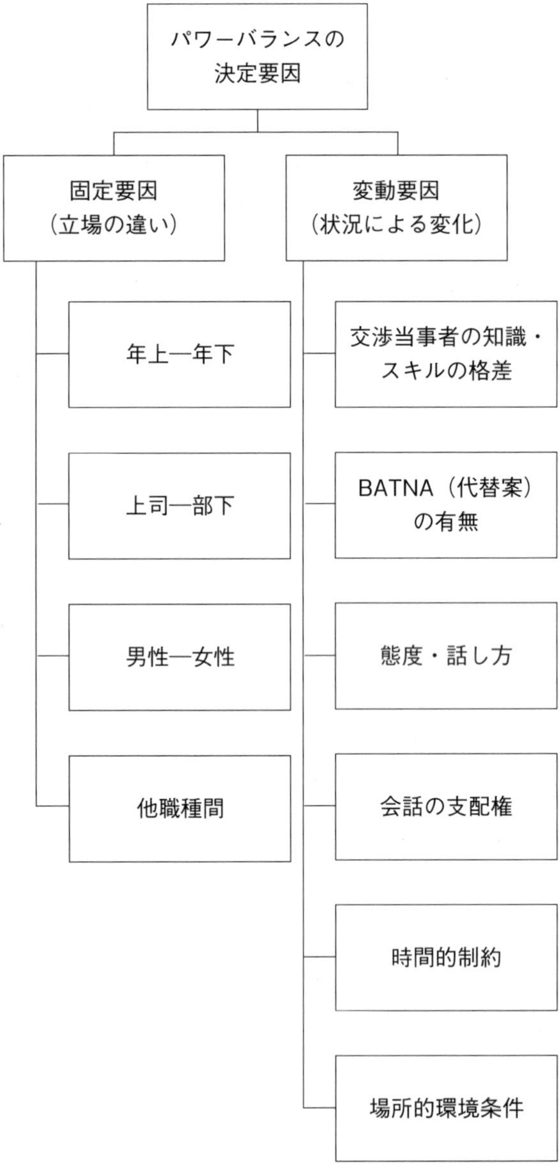

出典：産業能率大学総合研究所交渉研究プロジェクト[19]より改変

（合意形成）となります。

　最終的に交渉を締結させるためには、合意に至る交渉プロセスのなかで、最後に残った疑問や不安点を見出し、対処することです。迷っているのは提案のメリットを理解できないからではなく、デメリットに不安を感じているからです。

　つまり、合意時には相手の不安を取り除くことです。大きな意思決定、重要な決断であればあるほど、最終決定前に不安や疑問が生じてきます。不安を解消するためには、それらの阻害要因となる要素を把握して解消することが重要です。

⑦　自己演出

　「自己演出」とは、自分が実現・達成しようとしている目標に近づいていくため、積極的かつ戦略的に情報発信することです。②の「ニーズの創出」から⑥の「合意形成」に至るまで、本質的な価値を理解させ相手を交渉に対して本気にさせる（コミットさせる）には、自己演出が必要となります。

　ただし、重要な点は、本質的価値が低い、あるいはないものを演出して相手に受け入れさせても、長続きする関係にはなり得ないということです。交渉の演出は相手に対し、倫理的かつ誠実でなければなりません。

　交渉の準備として、前述した駆け引きの中の変動要因の1つである、交渉環境である時間・場所・参加者を適切に設定する必要があります。さらに、準備した環境でどのようにプレゼンテーションを行うのか戦略を練ります。プレゼンテーションは、いかに相手にうまく伝えるかそして伝わるかが最大のポイントであり、内容や対象に応じて変化させなければなりません。

第1部　解説編

⑧　人脈形成

　主義・主張や利害などによる、人と人とのつながりをつくりあげていくことを「人脈形成」といいます。すべての交渉の基本は人間対人間の信頼関係にあります。また同時に、複数の利害関係者が絡む交渉においては、関係者との人脈・関係のあり方が交渉の成否を大きく左右します。つまり、信頼を獲得し、人脈を形成するための方法が重要となります。

　すでに人間関係を構築できている相手に関しては、その良好な関係を継続できる交渉を行います。初めての相手、あるいは会議等の場面では利害関係者の関係を把握したうえで相手を理解し、方向性を見極めたうえで誠意をもって交渉に臨むべきです。

　利害関係者も含めて信頼関係が築ければ、人脈が構築されます。しかし、すべてがいつもうまくいくわけではありません。人脈構築は、まさに良好な関係を築くことを目的とした1つの交渉のプロセスです。したがって、①の「ゴール設定」から始まるすべての交渉プロセスを応用することが必要となります。人脈構築は、相手にとってもメリットとなります。Win-Winの関係を構築しようとする姿勢そのものが、交渉相手やその利害関係者との間に人脈を構築する最大のポイントになります。

　以上、①から⑧までの交渉プロセスを説明しましたが、現実の交渉のプロセスは一元的フローではなく、行きつ戻りつの重層的プロセスであるケースが多いでしょう。また、看護師とは、日々の業務に追われていることから交渉プロセスのフローをじっくり考える余裕もなく、瞬時に判断して交渉する場面の方が多いはずです。

　ただ、基本的な考え方は変わりませんので、どのプロセスが最も重要であるかを見極め、集中的にパワーを発揮するのが交渉成功へのポイントとなります。あくまでも、相手と自分が最適な交渉戦略を実践

第 5 章　交渉の基本的な考え方とテクニック

し、Win-Win の交渉を目指しましょう。

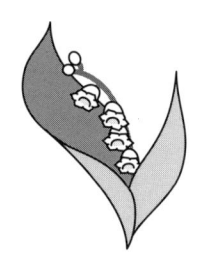

第1部　解説編

第6章

事前準備を極めるための交渉の要因

　交渉の事前準備にあたり、第5章で「交渉の8つの構成要素」として交渉プロセスを説明しました。実際の交渉のシナリオを描く際には、さらに詳細に準備をする必要があります。R.フィッシャー[12]は、交渉を構成する要因は7つであると述べています。関心事項、提案、代替案、正当性、対話、関係、執行と合意の確認について、それぞれの要因に対して交渉のための準備が必要となります。原則に立脚した交渉として、結果が良かったかどうかはこの7つの要因が含まれているかを確認することが交渉の振り返りになります。

1．関心事項

　交渉を行いたい当事者は、交渉によって得たいと考えるニーズ（欲求）、願望などの関心事項があります。この関心事項を軸にして、相手の提案を受け入れられるかどうか、相手にどのような提案をしていくかを準備します。

　統合型交渉をするためには、関心事項を複数の項目を準備する必要があります。関心事項を論理的に引き出す方法として、「価値の木」があります。交渉に当たる場合、対象とする問題に対して、「自分たちはどのように考えているのか」を「抽象的な価値」から「具体的な関心」へと、体系的にとらえると、整合性を持ちます。

　卒後3年目の看護師が、師長に突然退職を申し出てきた事例に対

第6章 事前準備を極めるための交渉の要因

し、師長の視点から価値の木の例を考えます（図表1-19）。

また、第三者を含め、2人以上の関係での交渉を持つ場合は、図表1-20に示すような関心事項の表を作成して交渉に臨むとよいでしょう。

図表1-19 価値の木（3年目看護師が働きたい病院とは）の例

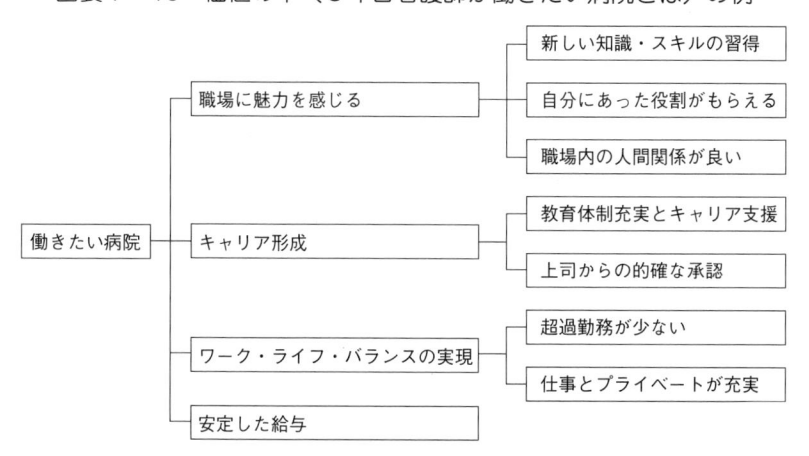

```
                    ┌─ 職場に魅力を感じる ─┬─ 新しい知識・スキルの習得
                    │                      ├─ 自分にあった役割がもらえる
                    │                      └─ 職場内の人間関係が良い
働きたい病院 ───────┼─ キャリア形成 ───────┬─ 教育体制充実とキャリア支援
                    │                      └─ 上司からの的確な承認
                    ├─ ワーク・ライフ・バランスの実現 ─┬─ 超過勤務が少ない
                    │                                    └─ 仕事とプライベートが充実
                    └─ 安定した給与
```

図表1-20 関心事項

グループ構成員と問題	関心事項
グループ構成員	当方
重要な問題 1. 2. 3.	相手方 第三者

57

2．提案

関心事項に基づいて提案を作成します。合意することを求めて作成する案です。分配型交渉の場合は、合意に至る範囲（Zone of Possible Agreement：以下、ZOPA）を考えます。例えばスカートの値段交渉に関しての例を図表1－21にあげます。

統合型交渉は、関心事項が複数個あります。自分にとって満足度が高く、最も好ましいと思うものを先ず提示し、それが受諾されなかったときは次に好ましいものを提示します。相手もこの方法を繰り返します。

提案の好ましさの優先順位は、関心事項をベースに考えます。この交渉で目指すところは、譲り合いながらお互いがある程度の満足を得るということになります。

相手方の満足度について推測して計算を行い、「パレート・フロンティア」（図表1－22）という表を描いてみることも、交渉の満足度を高めるための準備です。

統合型交渉で最も良い合意は、このパレート・フロンティアにあるものです。

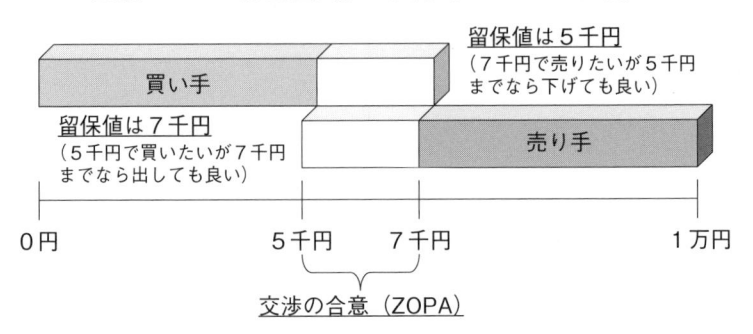

図表1－21　分配型交渉の事例（スカートの値段）

出典：日本交渉協会より改変

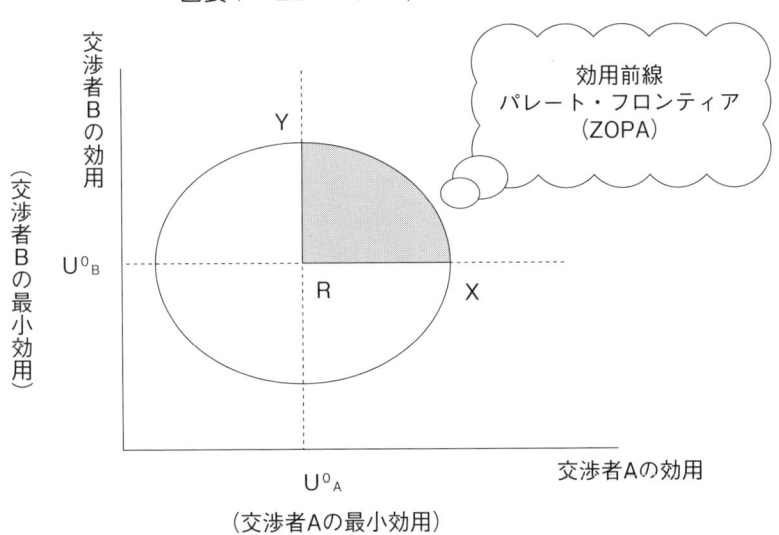

図表1−22　パレート・フロンティア

効用前線
パレート・フロンティア
(ZOPA)

交渉者Bの効用
（交渉者Bの最小効用）

U^0_B

Y

R　X

U^0_A
（交渉者Aの最小効用）

交渉者Aの効用

出典：日本交渉協会[11]

3．代替案

　交渉はすべて合意に至るとは限りませんし、またそうすべきでもありません。相手の提案が、得るものより犠牲になるものが多すぎて、どうしても許容できないならば、合意することなく交渉を中止した方が良い場合もあります。

　「代替案」とは、「合意に至らなかったときにどうするか」を準備段階から考えておくことです。代替案の中で最も関心事項に対する満足感の高い最善案を「Best Alternative to Negotiated Agreement：以下、BATNA」（図表1−23）といいます。BATNAは、適切に使われると非常に強力な働きをします。

　交渉の前に自分側のBATNAは何であるか、相手側のBATNAの推察を準備します。BATNAは自分が本当に望んでいるのは何なのかを考える機会となると同時に、相手を合意に向けるための強力な武器になります。BATNAがあれば、冷静に交渉が進められます。

59

第1部　解説編

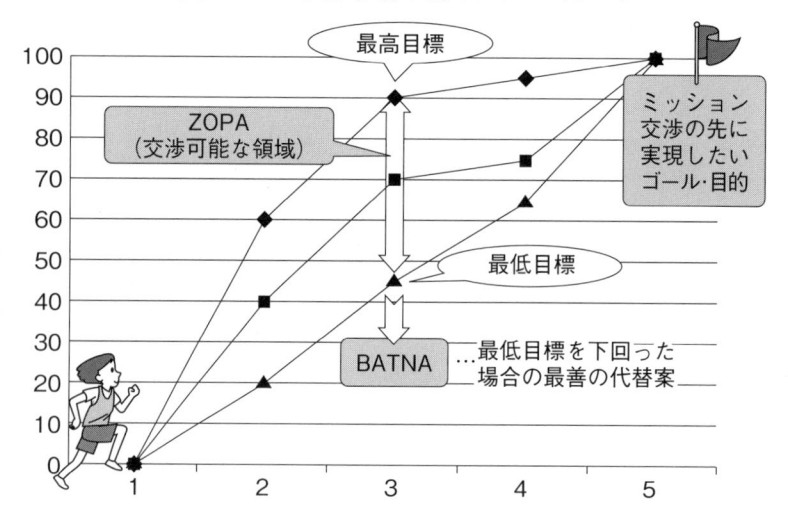

図表1-23　交渉事前準備のフレームワーク

（最高目標、ZOPA（交渉可能な領域）、ミッション 交渉の先に実現したいゴール・目的、最低目標、BATNA…最低目標を下回った場合の最善の代替案）

4．正当性

　関心事項はそれぞれ相対立します。強硬な態度をとるよりもフェアな議論を進める方が相手を説得できます。提案の結果は、外部の標準や客観的基準から見て、公正であることが望ましく、このことを「正当性」といいます。

　病院においては、他職種との業務調整に関する交渉が多々あると思います。お互いがお互いに協力し合うための交渉ですが、ややもすると自分のエリアで起きている問題を相手に押し付けてしまう可能性があります。職種間業務調整交渉の場合、調整することが患者さんにとってはどう有益となるのかを常に念頭に置き、双方でゴールを考えることが、正当性と言えるのではないでしょうか。

5．対話

　交渉では、コミュニケーションは効果的に聞き、話すための技芸であり、科学ともいわれています。コミュニケーションが円滑であれ

ば、交渉も円滑に進められます。交渉においてのコミュニケーションは、一方通行ではなく、双方が話し、聞くという形の双方通行でなければなりません。

交渉において「聞く」ことの重要性を知って、相手の話から「何を」「どのように」聞きだすのか、また相手のメッセージから想定し、関心事項と照らし合わせて確認をしていきます。「話すこと」で、相手が「聞きたい」と思うようにさせるには、結論を述べ、その理由を説明するという話し方が理解を生みます。

コミュニケーションは、さまざまな要素が関連しあった複雑で創造的なプロセスです。人は、コミュニケーションをする際に言葉だけではなく、その人の表情やしぐさ、身なりなどを観察し、五感を通じて行われます。

また、非言語的なコミュニケーションも含めて相手は判断しています。したがって、受け手の取り方でコミュニケーションは意図しない方向へ進んでいきます。受け手が相手の言葉やしぐさをどう解釈するかにより、相手の次の反応が変わります。お互いに相手の言葉を正しくとらえているかは、実は確認するまでわからないという点に留意する必要があります。交渉においては、この確認作業も重要となります。

なお、対話にあたり、ホール（Hall 1996）は、相手と自分との距離を図表１－24のように分類しているので参考にしてください。交渉の人と人の距離は、コミュニケーションに適する距離である45cm〜120cmくらいが適しています。

第 1 部　解説編

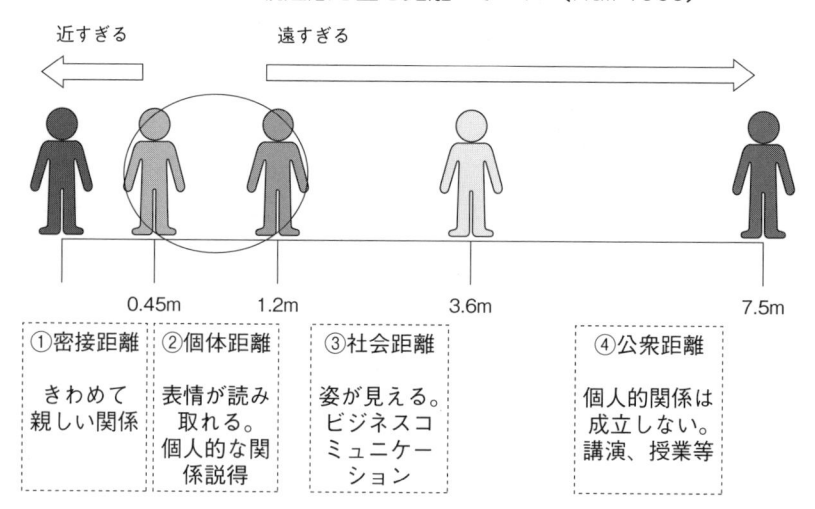

図表 1 −24　親近感を生む距離　ホール（Hall 1966）

近すぎる　　　遠すぎる

0.45m　　1.2m　　　　3.6m　　　　　　7.5m

①密接距離
きわめて親しい関係

②個体距離
表情が読み取れる。個人的な関係説得

③社会距離
姿が見える。ビジネスコミュニケーション

④公衆距離
個人的関係は成立しない。講演、授業等

6．関係

　交渉する際に、相手との良好な関係性が築けるよう、あるいは継続できるよう、相互理解を深め合う必要があります。信頼関係があれば、理性と感情の平衡が保たれ、望ましい環境下で交渉ができます。

　しかし、そのような関係にあっても、さまざまな問題は起こります。人はそれぞれ考え方や価値観が違っているからです。どんなに尊敬していても、どんなに親しくても、さまざまな交渉場面に出会います。そこで、交渉にあたる者は「関係」と「物質」を分けて考えます。「人」と「問題」を分離すると表現した方がわかりやすいかもしれません。

　関係性の問題なのか、物質的な問題なのか、あるいは物質的な問題から感情の悪化等の関係性の問題に発展しているのか確認し、問題を整理します。そのためには、まず現状をよく知ることです。そして望ましい状態と問題にギャップがあるときには原因を追究し、望ましい方向になるための方策を考えて交渉します。

人を育てるときは信頼関係が欠かせません。信頼関係があれば、多少叱ってもその意味を理解して伸びていくでしょう。しかし、信頼関係が築けていないのであれば、いくらほめても聞く耳も持たないでしょう。最近話題になっている体罰も、信頼関係がある場合とない場合のとらえ方の差だと筆者は感じています。

「何を言ったかが重要じゃない。誰が言ったかが重要なんだ」という言葉を耳にしたことがありますが、まんざら嘘ではない気がします。信用していない人の話は事実でさえも聴く耳をもてない現実があります。交渉も同じです。人は理屈では動きません。心に感じて人は動くのです。

医療現場は、人間関係がつきものです。同じ屋根の下の人間がいがみ合っているほどつらいものはありません。お互いがお互いを理解し合い、助け合う職場風土をつくりたいものです。

7．執行

交渉が合意に至れば、両者はそれを「執行」する義務を負います。気をつけなければならないことは、双方の合意を得ても、最終決定は該当する会議で決定という場合です。

会議では、問題点と改善目的を明確にし、合意したい内容を的確に伝えます。特に多人数の中での交渉は準備を用意周到にしないと、質問されると舞い上がってしまったりします。また、準備不足での合意は、具体的行動まで決めずに終了してしまう場合もあります。このため、「Who、When、Where、What、How、Why（誰が、いつ、どこで、何を、どうする、なぜ）」の５Ｗ１Ｈ、内容によっては「How Much（いくらで）」を加えた５Ｗ２Ｈを必ず決める必要があります。すなわち、交渉は合意内容が実行できて初めて成功したことになり、継続できているかどうかのモニタリングをする必要があります。

第 1 部　解説編

第 7 章

交渉を成功させるための手順

　交渉を成功させるためには、準備が重要であることは何度も申しあげました。ここでは、交渉を成功させるための手順を記述します。しかし 1 回で交渉が完結するとは限りません。数回にわたる場合は、合意に至るよう管理サイクルである PDCA サイクルを回します（図表 1 − 25）。

図表 1 − 25　交渉を成立させるための手順

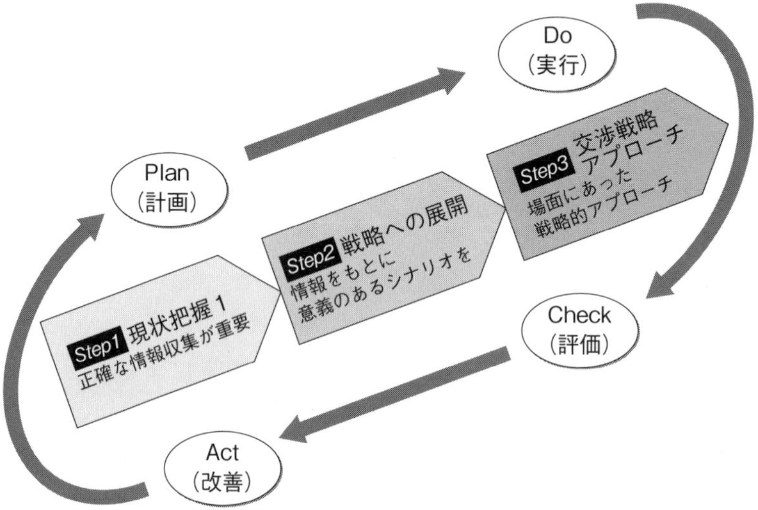

- Plan（計画）
- Do（実行）
- Check（評価）
- Act（改善）

Step1　現状把握 1
正確な情報収集が重要

Step2　戦略への展開
情報をもとに意義のあるシナリオを

Step3　交渉戦略アプローチ
場面にあった戦略的アプローチ

第7章 交渉を成功させるための手順

1．現状認識

～交渉の第1歩は正確な情報収集から～

　交渉の第1歩は正確な情報収集から始まります。交渉における情報収集の目的は、大きく2つあります。1つ目は交渉相手に対して優位性を築く目的、2つ目は交渉相手との心理的距離感を縮めることにあります。

　相手に関する情報を多く持っていれば、交渉場面で優位に働きますし、会話もはずむでしょう。交渉の成否は情報収集能力にかかっていると言っても過言ではありません。

　当該交渉の構造化のための情報収集として全体像を見いだすとともに、交渉相手が何を目的としているのか、客観的に認識する必要があります。

　情報収集は、事前に準備するのはもちろんですが、それらをもとに交渉の場からの情報収集が重要となります。そのためには、「質問力」を必要とします。相手は「どうしてそう考えるのか」「なぜそうしたいのか」等、オープン質問で会話を深め、本音（ニーズの創出）を引き出しましょう。ただし、「なぜ」をあまりにも使いすぎると相

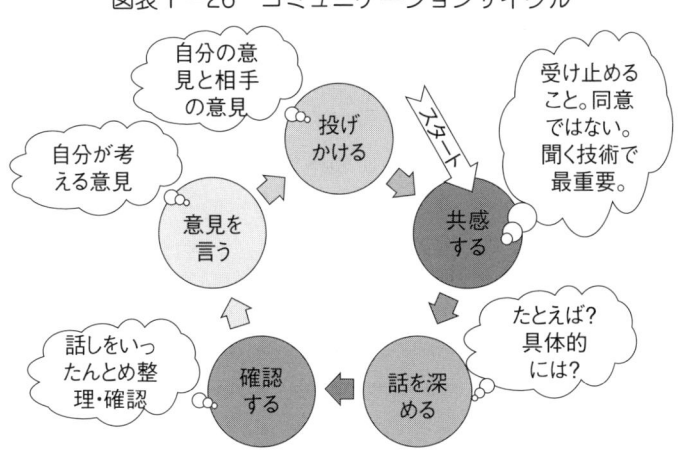

図表1－26　コミュニケーションサイクル

手は責められているようで不快に思う場合もありますので、相手の言葉に共感しつつ話をすすめます。コミュニケーションサイクルは、まず共感から始まります（図表1－26）。

2．戦略への展開
～情報をもとに意義のあるシナリオを～

　情報収集による現状認識ができたら、それらの情報を分析、検討したうえで、自分が目指す目標と合意点に交渉を導くための作戦（シナリオ）を立てます。このシナリオは、交渉が困難になればなるほど、緻密なものが要求されます。シナリオは、1つの絵や概念図として図にまとめるとイメージ化しやすくなります。すなわち、シナリオが1本の筋書きにならないよう、相手の反応から想定外のことも加味した図を作成することが交渉には有効となります。

　分析シートとして、鈴木有香氏[18]の「コンフリクト交渉分析シート」（図表1－27）などを活用すると良いでしょう。ちなみに、コンフリクトとは、意見の対立や衝突を意味します。コンフリクトには、小さなトラブルから紛争に至るまで、さまざまなレベルがあり、それらを解決するための手段が交渉となります。ここでのポイントはお互いのニーズを正しくとらえることにあります。そのニーズを原点にして、お互いが満足できる着地点を考えていきます。

　したがって、さまざまな交渉のシナリオは、多くの対策設定を考える必要があります。同時に、話す順序や時間配分をできるだけ具体的に描いておきましょう。交渉もシナリオ提示のタイミングや時間管理は必要です。したがって、長引くようなら、区切りのいいところで中断して、次回の交渉の機会を約束することも1つの方法です。

　シナリオづくりのポイントは、①多くの対策に対応できるように、目に見えるように描くこと、②できるだけ具体的に書くこと、③予行練習をしてみること、の3点です。そして、この3点がよいシナリオ

第7章　交渉を成功させるための手順

図表 1-27　コンフリクト交渉分析シート

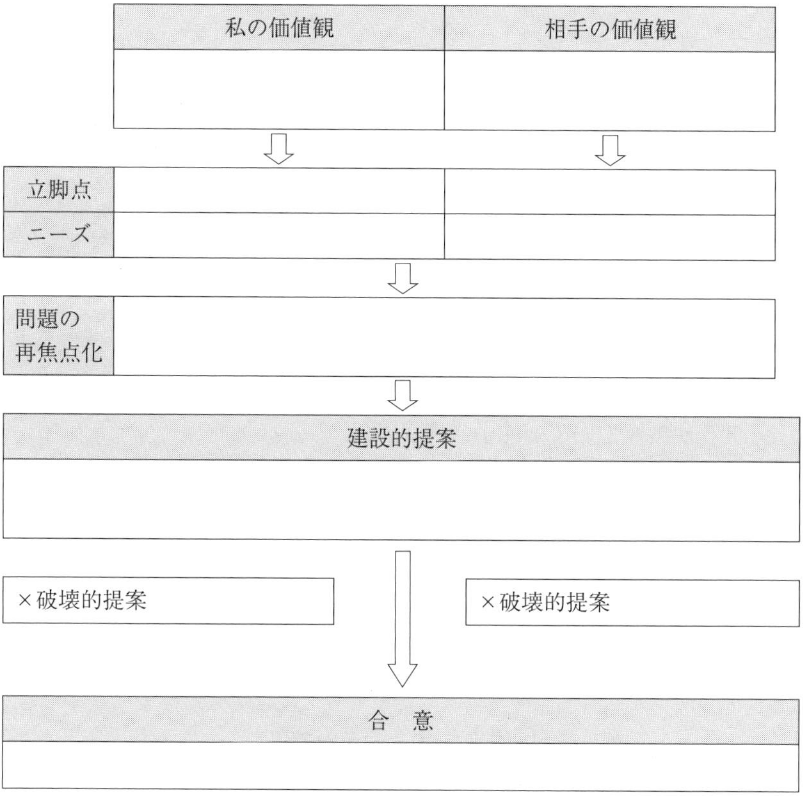

私の価値観	相手の価値観

⇩　　　　　　　　⇩

立脚点		
ニーズ		

⇩

問題の再焦点化	

⇩

建設的提案

×破壊的提案	×破壊的提案

⇩

合　意

出典：鈴木有香氏[18]「人と組織を強くする交渉力」より一部改変

づくりに直結します。交渉の重要度や内容により①～③にかける労力は異なります。重要度が高いほど、シナリオに時間や手をかけ目標に向かいましょう。

3．交渉の分類と交渉戦略アプローチ

　シナリオを作成する際には、交渉のアプローチを考える必要性があります。何回も交渉を繰り返すなど、長期戦になる場合には、自らの交渉を振り返りながら交渉を進めることになります。そこで、交渉の

第1部　解説編

分類を理解しましょう。交渉は、大きく「分配型交渉」と「統合型交渉」に分かれます（図表1-28）。

「分配型交渉」は、パイ（資源）を分け合う交渉であり、両者が自分の分け前を取り合う交渉です。「統合型交渉」は、お互いの交渉条件を理解したうえで、相手と協働し合って共有する利得を大きくし、それを分け合う型の交渉で、問題解決型交渉ともいいます。

一般にビジネス交渉では、分配型交渉が多いとされていますが、病院という組織では統合型交渉が重要です。良好な人間関係の維持、長期的な観点での結果を考えれば、協調的アプローチにより、積極的にWin-Winとなるような交渉過程を踏めることがベストになります。

交渉の分類について、もう少し説明しましょう。

分配型交渉

1つのパイ（資源）を分け合う交渉を分配型交渉といいます。分配型交渉は、1次元空間での交渉です。先の一方の取り分が、もう一方の取り分に当たる交渉です。交渉者の両方が利己的態度で交渉に臨め

図表1-28　交渉の分析

	分配型交渉	統合型交渉
アプローチ	競合的アプローチ	協調的アプローチ
目標	相手に勝つこと	双方にとって満足な解決
人間関係	自分優先	協力関係
価値観の相違	相違点に注目	共有点に注目
視点	過去・現在思考	将来志向
資源	不完全利用	完全利用
情報	秘密	情報交換
結果	勝-負	勝-勝（WIN-WIN）

出典：日本交渉協会

ば、その対立は激しいものになります。感情的になり、決裂に向かう傾向も高くなります。

　交渉を必要とする要素の１つであるコンフリクトに焦点を合わせたのが、メアリー・P・フォレット（1920）ですが、オレンジを２人の姉妹で分けあう有名な例があります。

　１個のオレンジを姉妹２人で分け合うとすれば、方法のすべてとして①妹に１個、②姉に１個、③今回は妹に１個全部で、次回は姉に１個全部（貸し借り型交渉）、④妹と姉で半分ずつ、といういずれかの方法で分配することになります。

　これらはすべて分配型交渉になります。④の半分ずつは一見双方が満足できる交渉に思えますが、真っ２つに分け合わなければなりませんので、一方が少し大きくなると不満が生じます。

　分配型交渉は、ゼロ・サム型交渉（両者のうち、いずれかが支配的な結果となる交渉）、「勝－負」交渉ともいわれています。一般に行われる交渉の大半は分配型交渉です。分配型交渉では、競合的アプローチとなり、自分の主張をとおすことが優先され、説得のためにさまざまな手段が使われます。早急に結果を出したいとき、また短期的な解決をもたらしたいときは競合的アプローチも１つの手段になりますが、人間関係の配慮がおろそかになることもあり、どちらかというと一方は不満な結果となるでしょう。したがって長期的には相手が不信感を抱き、コンフリクトが拡大していくリスクがあります

統合型交渉

　相手と協働し合って共有する利得を大きくし、それを分け合う型の交渉を「統合型交渉」といいます。両者の利益が対立したものではなく、お互いの利益を最大化することができると考え、両者が協力し合う交渉です。両者ともに勝者になれるような解決法を創造し、互いに最大の利益を獲得しようとするものです。

第1部　解説編

　「分配型交渉」での1個のオレンジを姉妹で分け合う事例で、両者が良く話し合いをしたとします。結果、姉はマーマレードを作るのに皮だけ欲しいこと、妹は果実があれば皮はいらないことがわかりました。すなわち1個のオレンジの皮は姉に、果実は妹に分け合うことで、お互いの取り分が増加したことになります。
　<u>統合型交渉は勝－勝（Win-Win）交渉といわれ、双方にとって満足のいく交渉</u>です。視点は将来志向にあり、お互いが協力関係をもち、協調的アプローチで交渉を進めます。良好な人間関係の維持、長期的な観点での結果を考えれば、常に統合型交渉を目標にしていきたいものです。

　しかし、交渉すべてを統合型交渉にできるわけではありません。相手との交渉の内容により、自分にとっては何が何でも合意を得たい場合、逆にあまり関心がなくどういう結果でもよい交渉など、さまざま

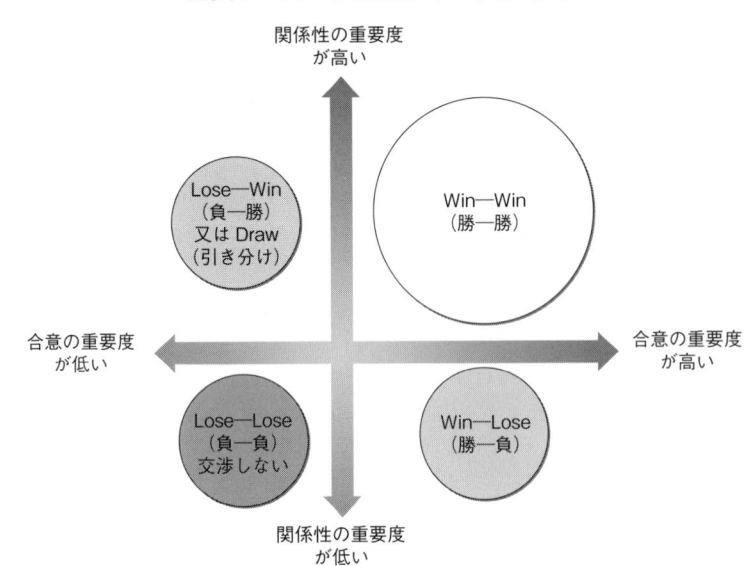

図表1－29　重要度による交渉戦略

```
                    関係性の重要度
                      が高い
                        ↑
    ┌─────────┐         ┌─────────────┐
    │ Lose—Win │         │   Win—Win    │
    │ （負―勝）│         │  （勝―勝）  │
    │ 又は Draw│         │              │
    │（引き分け）│       │              │
    └─────────┘         └─────────────┘
合意の重要度 ←─────────────────────→ 合意の重要度
  が低い                                    が高い
    ┌─────────┐         ┌─────────────┐
    │ Lose—Lose│         │  Win—Lose    │
    │ （負―負）│         │  （勝―負）  │
    │ 交渉しない│        │              │
    └─────────┘         └─────────────┘
                        ↓
                    関係性の重要度
                      が低い
```

な場面があると思います。そこで、重要度による交渉戦略（図表1－29）を考案しました。縦軸に、（人間）関係性の高低、横軸に、（合意）の高低とし、交渉の内容により目標をどこに置くか戦略を練ります。

交渉のアプローチ法
Win-Win型交渉へのアプローチ

相手との関係も、交渉の内容も重要度の高い場合、「Win-Win型交渉」で進めます。

Win-Winを目標とした交渉と判断した場合は、しっかりと交渉力の8要素や双方の関心事項を事前に準備しなければなりません。

戦略としては、何を目的に行うのかを明確にし、誠意を持って正直、かつ良心的に交渉する必要があります。自分の持つ交渉力を最大限に発揮し、双方に成果が出るように努力を惜しまないことです。交渉の最善アプローチが、「Win-Win型交渉」です。

人間関係を主とした医療現場においては、この「Win-Win型交渉」を目指す交渉が一番多いと考えられます

Win-Lose型交渉へのアプローチ

相手との関係はさほど重要ではないのですが、交渉結果は重要であるという場合は「Win-Lose型交渉」を目指します。自分にとって「何としても勝ちたい」と思う場合です。例えば業者から備品を購入する場合などです。購入する備品は決まっていて、その備品を取り扱う業者が3社あった場合、可能な限り納入価格を下げてもらうための交渉がこれにあたります。業者からすると逆の立場で交渉しますので、必ずしもWin-Lose型になるとは限りませんが、自分から見ると勝ちに行くアプローチです。しかし、現場からしますと業者との関係も1回限りではありませんので、アフターフォローやメンテナンス等

も考え、信頼関係は構築しておくべきです。

Lose-Win型交渉またはDraw型へのアプローチ

相手との関係性がとても重要であり、また今後のことを考えるとあまり強くは押せない場合のアプローチが「Lose-Win型アプローチ」または「Draw型アプローチ」と呼ばれるものです。

こうありたいという自分の目標（願望）があり、交渉したとしても、失うリスクが高い場合は断念せざるを得ないときがあります。相手の要望を聞き入れるか、Draw（ドロー、引き分け）としての交渉かということになります。

例えば、卒後2年目の看護師Aが、先輩看護師Bから「急用ができたので、日曜日の勤務を変わってほしい」と依頼されたときがこれに当たります。A看護師は、特に用事がなければなかなか断れないのが現実でしょう。A看護師は、今後気まずい関係になるのは嫌なので、「了解しました」と、要望を聞き入れるのではないかと思います。そして、B看護師がA看護師に「そのかわり、Aさんが用事のあるときには、できるだけ替わってあげるからね」と言われ実行に至れば、Draw型に近くなります。言葉のみで実行を見なければLose-Win型となります。

このような場面では、A看護師からみると、後輩として今後の良好な関係性を保つためのアプローチとなります。交渉は相手に見返りを期待して決めるわけではありませんが、このようなLose-Win型アプローチが続くと看護師Aの不満につながり、決して良好な人間関係とはいえません。「お互いさま」の精神は大切にしたいですね。

Lose-Lose型交渉へのアプローチ

交渉内容も、相手との関係も、それほど重要でない場合です。相手との間に交渉するべき事柄はあっても、交渉するために時間とエネル

ギーを費やすことのほうが大きく、お互いにむだと感じるような場合「Lose-Lose型交渉」となります。

例えば、毎年恒例の全部署（20部署）が発表する院内看護研究の順番を決めることなどです。「早く発表したほうがリラックスできるので、いちばん先に発表してしまいたい」という部署が5部署あり、他15部署は順番をあまり気にしてはいないと仮定します。このような場合に各部署を集め主催者側が交渉をすることは、時間とエネルギーのむだとなり、Lose-Lose型交渉となります。交渉の重要度が低い場合は、交渉が必要かどうかはよく見極めるべきです。

4．交渉場面
交渉で主導権を握る話法

コミュニケーションをする際に、一般的に、相手の言ったことをいったん認める「応酬話法」が良いとされています。しかし、交渉の場合は、応酬話法は相手に主導権を渡すようなもので、あまりおすすめできる話法とは言えません。

例えば次のようなケースです。

医師が師長に対し、「カルテに書いてあることは、いちいち看護師が聞かないように言ってほしい」と要望がありました。師長の立場からすると、「確かに時間のむだと思いますが、看護師は確認したいことがあり、聞いているのだと思います」と、応酬話法で答えます。すると医師は、「それでも、自分はもっと時間を有効に使いたいから、書いてあることをわざわざ繰り返さないでほしい」と、発言の主導権を握り、自分の主張を繰り返すことになります。

交渉で主導権を握るには、むしろ「対立話法」が有効です。対立話法とは、相手の意見に対して「どうしてでしょうか？」と質問することによって主導権を確立し、相手の真相を聞きだし、その後に「なぜなら…」と理由を述べていく手法のことです。

先ほどの医師の要望に対し、師長は「そうですか。先生は、どうしてそう要望されるのですか」と尋ねます。その質問に、医師は理由を話し始めるでしょう。対立話法を繰り返すことで、相手の意図を読み取りやすくなり、場合によっては相手の潜在欲求を引き出すこともできます。

予期せぬことが起きたときの対処法

実際の交渉現場においては、自分が書いたシナリオどおりにいかないことや、予測もしなかったことが突発的に起こってしまう場合があります。突発事故の原因は、事前の情報不足がほとんどです。情報の整理や分析が十分でなかったと言えるでしょう。したがって、事前に突発事故が起こらないようなシナリオを描き、戦略を練ることが重要です。

しかし、どんなに準備しても防げない突発事故もあるでしょう。そのようなときは、決してあわてず、騒がず、「起こってしまったことは仕方がない」といったんあきらめて、仕切り直しをしましょう。特に、交渉合意の重要度、関係性の重要度が高い交渉内容に関しては、Win-Winになるよう、気持ちを切り替えて、再度全力を尽くすしかありません。不動心を持って最後まで交渉にあたりましょう。

5．上手な交渉の終わり方

自分が描いたシナリオどおりに交渉が展開できれば、交渉はいよいよ終結です。交渉を終了する前に、まず考えなければならないことは、その交渉相手と今後も関係を持ち続けられるかどうかです。最終的にはWin-Win型交渉が最も良い交渉であることから、自分たちの満足だけではなく、相手の思いや満足度を確認し、今後につなげていきましょう。

第8章

交渉の実際をイメージする
～交渉過程の3段階～

　さて、これまでの章で交渉の手順、おおまかなストーリーは理解できたかと思います。ここでは、交渉を実際場面の過程としてとらえ、説明します。
　交渉は、過程としてとらえると、序盤、中盤、終盤の3段階からなります。

1．序盤
　交渉が開始される段階です。序盤といっても、何か過去のしがらみがあり、それがこれからの交渉にも影響を与えます。病院という組織の中では、看護師が1,000人を超えるような大規模の病院でない限り、ほとんどの職員と多かれ少なかれ顔を合わせていることと思います。
　1度も話をしたことがないにもかかわらず、自分に対する何らかの情報を持ちあわせているということは少なくありません。周囲から何らかの情報提供があったからだと推測できます。もし、それが悪い意味での固定観念になっていたら、自分に対する固定観念を打破して交渉するということは、大変なことです。先入観はコミュニケーションの阻害要因になるからです。
　そこで、顔は見かけたことはあっても、話をしたことのない人と、初めての交渉をする場面を想像してください。初対面と同様に第1印象がポイントとなります。

第1部　解説編

　一般的に、第1印象には3段階あります。第1段階は会ってから3秒で決まります。会った瞬間のインスピレーションなので、見た目が大きく作用します。身なりだけではなく、その人の表情も大きく関与します。第2段階は会ってから90秒で決まる感情的な第1印象です。最初の話し方から、「なんとなくいい感じ」「なんとなく感じが悪い」と、わずかな時間で決められてしまいます。第3段階の第1印象は、会ってから4分で決まる理性的な第1印象です。話し始めて4分ではまだ本論までいかない場合が多いかと思いますが、話の内容よりも「この人はこういう人」という印象を持ってしまうと言われています。

　初めての人と交渉をする場合は、その4分間が勝負ということになります。しかし、4分でしっかりと交渉の目的と内容を話すということではありません。人間は、相手が自分の話すことによく耳を傾けてくれる人に好意を持ちます。まずは、雰囲気づくりです。この人となら話し合いたいという雰囲気をつくるのがはじめの4分間です。

　また、人は見た目で判断しているという、「メラビアンの法則（アルバート・メラビアン、1971）」を学んだ方は多いかと思います（図表1-30）。この法則はあくまでも第1印象としての要素ですが、「視覚的要素が55％、聴覚的な要素が38％、話の内容等の要素が7％」、そして他人を受け入れるまでは、次の4つの壁があると言われています。

第1の壁・・・外見、服装、表情
第2の壁・・・態度、姿勢、しぐさ
第3の壁・・・話し方、声の大きさ、抑揚
第4の壁・・・話の内容

　交渉の序盤としては、相手にいかに好印象を持ってもらえるか、相手が交渉をしたいと思う気持ちにさせるかということがポイントです。面白いことに、『何を言うか』よりも『だれが言うか』が初対面

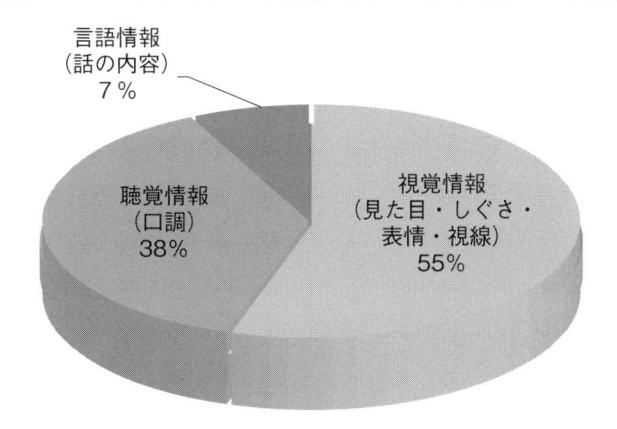

図表1-30　メラビアンの法則（人の印象を判断する要素）

- 言語情報（話の内容）　7％
- 聴覚情報（口調）　38％
- 視覚情報（見た目・しぐさ・表情・視線）　55％

の相手にも同様に当てはまり、最初に相手に受け入れられないと話の内容まで聞き入れてくれないということになります。そのためには相手を承認してから、相手とかかわっていかなければなりません。相手へのかかわり行動として、承認と受容的態度が重要です。したがって、第1印象はもとより、普段交流のある相手でも、まずは相手の気持ちを理解しそれを受け入れようとしているかという姿勢がポイントとなります。

2．中盤

　交渉の中盤では、前述の「交渉の要因」でも述べたコミュニケーションが要となります。コミュニケーションは、「論理的側面」（客観的な事実を述べる側面）と、「語用論的側面」（言葉使い）との2側面を持っています。

　論理的側面では、「事実」「データ」「証拠」などを使って自分の主張が正当であることを示します。論理的なスキルを必要とするのは、病院でいえば他の職種との交渉、上司との交渉等であり、そのような場面では言葉だけでは理解してもらえません。しかし、いくらデータ

を提示しても、それが何の意味を持つのか、そのデータから何をしたいのか、自分の意見をしっかりと伝えなくてはなりません。数字だけを並べても「だから何？」といわれるのが落ちでしょう。したがって、なぜそうなるのか、そうしたいのかという理由について、説得力を持って進めていくことが重要です。

　主張には大別して2つあります。トマス・ゴードン（1962）が『親業』（PET）を提唱しました。1つは「私」メッセージ（私が主語になった主張）と、「あなた」メッセージ（あなたが主語になった主張）です。往々にして、「あなた」メッセージでは良いコミュニケーションがとれません。「あなた」メッセージは、自分以外の他者に焦点を合わせて判断的意味づけを行うメッセージで、非難的なニュアンスととらえられることもあります。

　例えば、看護部長が師長に対し、「師長と主任が同日に休みを取るのはダメなのは知ってますよね。Aさんは昨日、主任と一緒に休みましたが、どういうことなんですか？」というメッセージを出したとします。

　どんな感じがするでしょうか。理由はどうあれ叱られたことしか頭に残らず、いやな気持になります。そして、自己防衛反応を示すでしょう。

　同じ場面ですが、「普段は管理をしっかり実践しているAさんが、昨日のように、主任と同日に休むのはめずらしいわね。何か特別なことがあったの？」と「私」メッセージで話しました。同じメッセージでも、「私」メッセージであると、その理由と次回はそのようなことがないように前向きに受け取ります。「私」メッセージは、話し相手自身の意味づけや感じ方が表現されることになります。つまり、「あなた」メッセージでは、対決型の構図となることから、交渉に関しても「私」メッセージで応答します。

　また、<u>交渉の際に相手の承認欲求を満たすために、聴くことはきわ</u>

めて重要です。「きく」には３つの段階があり、「聞く」とは耳で音や声を感じ取ること、「聴く」とは耳を傾け注意して聞き取ること、また「訊く」とは、相手に質問することです。

　このうち、交渉では「聴く」と「訊く」を使います。「聴く」は、傾聴と言われるように、相手の言葉を注意深く解釈しながら聴くことになります。相手が発している情報を、漏れなく確実に収集しようという姿勢です。

　さらに、本当に重要な情報を得たいと思うなら、「聴く」だけでは不十分であり、「訊く」必要が出てきます。

　「訊く」には２つのタイプがあり、１つは確認するための「訊く」で、もう１つはニーズの創出などのために引き出すための「訊く」です。

　確認するための訊くとは、聴いた内容の解釈が、相手の意図と合っているか確認することを指します。解釈とは、人それぞれ独自のものであり、なるべくずれのないように意思疎通するには、自分の解釈を表現して、相手に確認してもらう必要があります。

　確認は、質問の形で、相手の話した内容を繰り返したり、自分の言葉で言い換えたりします。このときのポイントは、相手の答えがYES／NOで返ってくる「クローズ質問」にすることです。これによ

第1部　解説編

り、相手の話したことを確認でき、しかも相手の話の腰を折ったりさえぎったりしないですみます。引き出すための「訊く」とは、聴いた内容の1歩先を知るために質問することを指します。YES／NOではなく、相手が自由に答えられる形式を「オープン質問」と言います。前述しましたが、オープン質問は相手の考えや意見などをより深く聞くときに適した問いかけです。相手は相手の意図に基づいて発言しますので、必ずしも自分が欲しい情報をくれるとは限らず、潜在ニーズを引き出すためにも、相手を誘導するための質問をする必要があります。すなわち、交渉の前に準備した関心事項を整理し、ニーズの確認と創出を行い、用意された提案を軌道修正しながら交渉を進めます。

　1回の交渉では決裂に終わる場合もあります。Win-Win交渉となるために、ゴールが明確であればあるほど、協調的アプローチを用いて着地点に向かってあきらめない姿勢が肝心です。

3．終盤

　交渉の終盤では、決定的な誤りをおかしていないか、建設的な合意であったかどうかに焦点を合わせます。確認のチェック内容として

・　合意する前に、本交渉の準備段階で作成した目標と合意点の比較
・　あなたにとって満足がいく合意であったか
・　相手に強要しなかったか
・　集団での決定の際には、全体最適とした一貫性に欠けていなかったか
・　合意点は交渉者間に公平性と効率性をもたらすものか
・　良好な人間関係は築けたか（継続性）

を振り返ります。合意に時間的経過余裕があるものに関しては、合意の前にこの内容をチェックし、交渉の場で結論をださなければならない交渉であれば、交渉後の振り返りとして確認作業を行います。

　合意に関しては、会議等での決議は一般的に、議事録に残しておき

ます。

　「合意書」として、書面で書き留める場合について触れます。「合意書」が必要となるのは、訴訟問題に発展しかねない場合などです。内容として、合意の日付、参加者全員の氏名、合意する事柄の題名と内容です。

　内容は、「いつ」「どこで」「誰が」「誰に対して」「どうしたときに」「何を」「どのようにして」「どうするのか」などを明記します。合意内容を確認し、最終的には、合意者のサインと捺印をして、双方で保管します。

　病院という組織内での交渉はその場限りの人間関係ではありません。自分が行った交渉をよく内省して、継続して良好な人間関係を保ちつつ業務を全うしたいものです。

第1部　解説編

> コラム　交渉成立のためのアイスブレイク

交渉相手のタイプを見抜く

　世界の国々の特徴として、国民の特徴を描いた有名な話があります（図表1－31）。

　世界との交渉の場合は、この国民性を理解する必要があります。沈没船ジョークになりますが、簡単に説明をしましょう。遭難した客船から、乗客が救命ボートに乗り移りますが、ボートの数が足りず、若い男性客は、そのまま海に飛び込んでもらわなければならなくなりました。そのとき、どのように声をかけたら飛び込んでくれるでしょうか？

- ドイツ人には「船長の命令だ、飛び込め」
- イギリス人には、「海で美女が泳いでます」または「紳士なら飛び込みなさい」
- アメリカ人には「今飛び込めば貴方はヒーローになれるでしょう」

図表1－31　交渉のタイプを見抜く（国の特性）

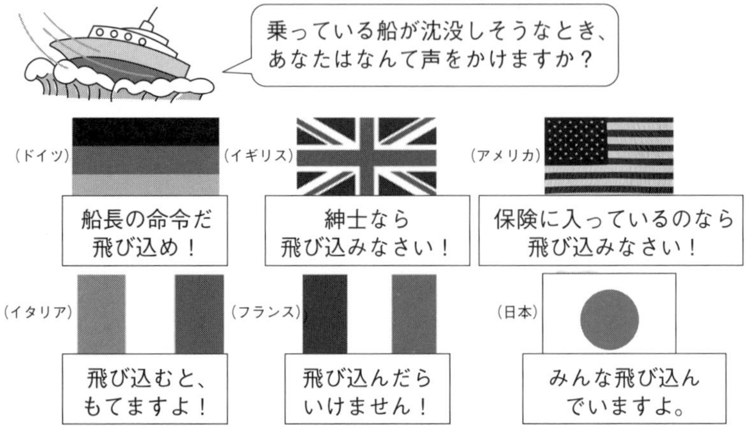

乗っている船が沈没しそうなとき、あなたはなんて声をかけますか？

（ドイツ）船長の命令だ飛び込め！
（イギリス）紳士なら飛び込みなさい！
（アメリカ）保険に入っているのなら飛び込みなさい！
（イタリア）飛び込むと、もてますよ！
（フランス）飛び込んだらいけません！
（日本）みんな飛び込んでいますよ。

82

または「保険に入っているのなら飛び込みなさい」
- イタリア人には「飛び込むともてますよ」
- フランス人には「飛び込んではいけません」
- ロシア人には「ウオッカのビンが流されてしまいました、今追えば間に合います」
- 中国人には「おいしそうな魚が泳いでいますよ」
- 北朝鮮人には「今が亡命のチャンスですよ」
- 韓国人には「何も言うな、服が濡れると謝罪と賠償を要求されますよ」
- 日本人には「みんなもう飛び込んでいますよ」
- 大阪人には「阪神が優勝しましたよ」

　ロシア人はウオッカを好み、ウオッカのアルコール依存症が多いといわれ、イタリアの男性は若い美女に目がなく、すぐ声を掛けてガールフレンドにしようとするくせがあるようです。フランス人はみんなと違うことをしたい、あまのじゃくであり、ドイツ人は何でも規則をつくって、それに従うようにさせるようです。アメリカ人は名誉欲が強く、目立ちたいタイプが多いといわれています。日本人は皆さんもご存じのように、他人の行動を見習って自分も同じように行動し、自主性がないと言われています。まあ、他の国も含めて良くできた小話ですが、日本人には何とも情けない話です。たしかに私たちは、他人の目を気にしたり、人がどうしているか確かめてからしか行動できない風習があるかもしれません。

　1968年にアメリカの心理学者のディビット・メリルとロジャー・リードが、「ソーシャルスタイル理論」の概念を発表ました。人間を社会的態度や傾向により4つのタイプに類型化し、その違いを認識す

第1部　解説編

ることによって対人関係の向上を図ろうとする考え方です。性格や内面的要因よりも、外に見える言動や行動で相手のパターンを理解するというものです。

　人間の行動は状況や相手によって変化しますが、バラバラに見える行動の中にも、ある傾向が見られるそうです。

　縦軸に感情表現の傾向を表し、上に行くほど抑制的で下に行くほど感情豊かとし、横軸に会話の傾向を表して左に行くほど聞き上手、右に行くほど話し上手とします。この軸を交差して、人のソーシャルスタイルを4つに分類すると、表出型・友好型・分析型・主導型の4種類となります。

　どのタイプが良いという優劣はなく、それぞれのスタイルに応じて社会や組織に貢献できます。俗に、表出型のタイプには社長が多いという話も聞きます（図表1-32）。

　また、自分自身のタイプを知ることで強みや弱みを理解すれば、交渉の進め方につながるでしょう。どのタイプが良い悪いというわけで

図表1-32　ソーシャルスタイル理論（ディビット・メリル　ロジャー・リード）

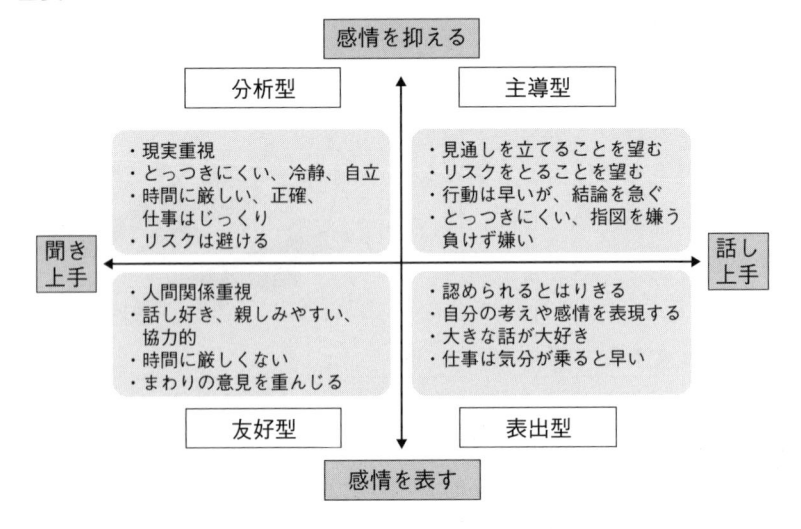

```
                    感情を抑える
                        ↑
        分析型          │         主導型
  ・現実重視            │    ・見通しを立てることを望む
  ・とっつきにくい、冷静、自立│ ・リスクをとることを望む
  ・時間に厳しい、正確、  │    ・行動は早いが、結論を急ぐ
    仕事はじっくり       │    ・とっつきにくい、指図を嫌う
  ・リスクは避ける       │      負けず嫌い
聞き────────────────┼────────────────話し
上手                    │                上手
  ・人間関係重視         │    ・認められるとはりきる
  ・話し好き、親しみやすい、│   ・自分の考えや感情を表現する
    協力的               │    ・大きな話が大好き
  ・時間に厳しくない      │    ・仕事は気分が乗ると早い
  ・まわりの意見を重んじる │
        友好型          │         表出型
                        ↓
                    感情を表す
```

84

はありません。各タイプに関しては、自分を知り、相手を知る1つのツールです。

　例えば表出型の部下は、気持ちを盛り上げつつ、ついもれがちな細部はしっかりチェックさせることが効果的です。主導型の部下に対しては、目標を明確にして、なるべく部下の自主性を尊重した上で、節目ではポイントをアドバイスすると効果的となります。友好型の部下には、いつも見ているという安心感を与え、効率や成果の視点を意識させます。最後に分析型の部下は、仕事の目的について時間をかけて納得させたうえで、忘れがちな納期の観点を意識させ、ときどき行動が止まっていないか確認します。

　交渉成立のためには、相手をよく知っているといないでは対応の仕方もおのずと変わります。自分の言動の傾向も知っておくとよいでしょう。

4．交渉時の自分の傾向を知る
　　〜交渉の8つの失敗パターン〜

　相手のタイプを見抜くとともに、自分の傾向を知っておくことも大切です。ここでは、交渉の8つの失敗パターンを紹介しましょう。
①何事にも勝ち負けにこだわってしまう
②常に完璧でないと気がすまない
③行き当たりばったりで行動しがち
④感情的になりやすい
⑤善人で相手に気を遣いすぎる
⑥どんなときでも対立を避ける
⑦人と物事を分けて考えられない
⑧人の言うことを信じてしまう

　いかがですか？　自分のパターンをよく知っていれば、ときには冷静に振り返りながら交渉を進められます。例えば、次のように対処す

ることも1つの方法です。

① 何ごとにも勝ち負けにこだわってしまうパターンの人は、どんな展開になってもどんな場面でも交渉の目的を忘れないように、途中で振り返る。
② 常に完璧でないと気がすまない人は、妥協できる条件を持たせ、その範囲内でまとまれば完璧だと考える。
③ 行き当たりばったりで行動しがちの人には、これまで述べてきたような準備を万全にする。
④ 感情的になりやすい人は、難しいとは思いますが、かっとなったと思ったらひとまず黙って頭を冷やすか、不安であれば最初から複数人での交渉にする。
⑤ 善人で相手に気を遣いすぎる人は、自分に不利になりそうなことは発言しない。
⑥ どんなときでも対立を避けてしまう人は、交渉は対立を回避するのが目的ではないことを再確認し、準備シートに自分の要求を明確にしておく。
⑦ 人と物事を分けて考えられない人は、事前準備で人とものをしっかりと区別しておく。
⑧ 人の言うことを信じてしまう人には、相手を信じる・信じないは別として、相手の言っていることが事実かどうか、必ず裏を取る。その場ではすぐに返事しない。

　何か1つでも当てはまるような場合は、事前にこのような対処を考えておくだけでも、交渉の心の準備にもつながっていきます。

第9章

医療現場における交渉の心得16カ条

　交渉アナリスト養成講座2級テキスト[11]に、交渉の心得50カ条があります。そのうち筆者が「医療現場ではぜひとも必要」と選択した16カ条をここで紹介します。

1．交渉の計画
① 情報有料の原理：交渉は情報ほど重要なものはない。
② 土俵設定の原理：話し合い前に、交渉項目あるいは協議事項を交渉せよ。
③ シナリオの原理：予想される質疑を書き出してみよ（ポイントを認識するために有益である）。

2．交渉の実践
④ 育ての原理：人間は承認欲求が強い。ほめることに徹せよ。
⑤ 効果的理由の原理：理由を多くあげるな。本当に主要な理由で説得せよ。
⑥ 90-10の原理：交渉の前半は我慢の子に徹しよう。残り時間10%で、交渉の90%が妥結する。
⑦ NOの原理：NOということを恐れるな。YESはいつでも言える。YESと言ったら、その後はNOと言えない。
⑧ なぜの原理：相手が同意しない場合は理由を聞け。情報量を増や

すことが交渉上、必要な戦術となり良い結果をもたらす。
⑨　行き詰まりの原理：対立を避けては交渉は成り立たない。行き詰まりに動揺しない。
⑩　クレーム処理の原理：クレームこそ、よく耳を傾けて聴いてあげよう。
⑪　ライフ・サイクルの原理：交渉力は時間とともに変化することを銘記せよ。
⑫　組織の原理：相手の組織（3つの要素「共通の目的」「協同への意思」「コミュニケーション」）を知り、戦術を考えよう。
⑬　「梃子」の原理：交渉の梃子を見いだせ。現状打破に、何を梃子に使うか。
⑭　根回しの原理：非公式だが、交渉の成否を決める重要な要素。

3．交渉の統制

⑮　反省の原理：結果を反省しなければ、成長はない。
⑯　「夑（やわらぎ）」の原理：交渉の目標は両者の幸福。交渉は人間関係であり、人間のぬくもりが求められる。

交渉に正解はなく、状況依存的です。すなわち、状況によって交渉のパターンも変えざるをえません。ときには立ち止まり、自ら交渉を原理・原則に戻って振り返ってみましょう。

第2部

ケーススタディ編

医療現場における交渉は統合型で

　医療現場ほど、内部環境、外部環境を問わず、さまざまな職種・顧客（患者・家族等）が交流する組織や場面はありません。特に患者にいちばん隣接している看護師ほど、多種多様で複雑な交渉の機会が多くあります（図表2-1）。つまり、人間の数が増えるほど、人と人とのコミュニケーションの機会が増加し、増加した分の人が持つ価値観の違いによる問題発生のリスクとなるからです。

　図表2-1の表は一例ですので、まだまだここに表れないさまざまな交渉もあります。医療現場は、多職種との業務連携や人間関係調整の場面が多いことから、より統合的なアプローチが必要となります。

　一般に「モノ」よりも「ヒト」の問題解決に向けての交渉のほうが、困難であることは皆さんもご承知のことと思います。人間関係ほど複雑なものはありません。同じ事象が起きていても、人や立場により、あるいはその場におかれた環境、一人ひとり価値観も考え方も目指すものも違っているからです。

　「モノ」であれば、「ニーズに合ったものを、どのようにして安く手に入れるか」、売り手であれば「より高く売るか」という、単純な交渉になります。とは言っても、「モノ」と「ヒト」は、分離できないこともあります。すなわち、「モノ」を決定するのは「ヒト」であるからです。「ヒト」を動かすのは、「モノ」のように簡単ではありません。しかも、病院という組織においては1対1の交渉とは限らず、複数の「ヒト」との交渉になることのほうが多く、より複雑になります。堀公俊氏は、「意思決定にベストな方法はなく、意思決定のやり方に納得できなければ、結論にも納得できない。意思決定のやり方を納得させることは、やり方を決める過程に参加させること」と述べています[44]。

図表2－1　看護職の交渉場面例

		誰と (Who)	いつ (When)	どこで (Where)	何を (What)	なぜ (Why)・目的	どのように (How)
顧客		患者	外来診療前	待合室	患者・家族説明同意	合意形成	
		家族	外来診療中	外来	診療・看護内容一般	問題解決	
		面会者	外来診療後	病棟	入院病室等の交渉	信頼関係構築	
役職者 (他部門)		病院経営者	検査中	病室	サービス内容	医療安全の確保	
		副院長	I.C中	その他院内	患者療養指導	医療の質の向上	
		診療部長	勤務（業務）中	各部署	資源の確保 (人・モノ・カネ・情報)	業務の効率化	
		医局長・部長	勤務休憩中	会議室	看護職の業務指導	業務の円滑化	
		事務部長	勤務前後	休憩室	看護職の生活指導	業務改善	
		薬剤部長	面談中	院外	情報交換・共有	人材育成	
			入院中	地域交流の場	今後の方針、方向性	待遇改善	
医師		医師	会議前	その他	業務分担	労務管理	
看護職		看護部長	会議中		業務依頼	労働環境改善	交渉
		副看護部長	会議後		調整（連携）業務	目標管理	(目指すは
		師長	夜間		休暇の獲得	人間関係調整	Win-Win)
		主任	休日		勤務の希望	コミュニケーション向上	
		先輩・同僚	宴会等		クレーム対応	組織改革	
		クラーク	その他		その他	連携・ネットワーク	
		看護補助者				業務指導	
他職種		薬剤師				時間管理	
		臨床検査技師				メンタルヘルスケア	
		診療放射線技師				リフレッシュ	
		臨床工学技士				休養・余暇等	
		理学療法士				その他	
		作業療法士					
		言語聴覚士					
		臨床心理士					
		医療ソーシャルワーカー					
		事務員・栄養士・調理師 他					
外部業者		清掃業者・施設					
外部顧客		連携病院・施設					
		公的機関・他					

第2部　ケーススタディ編

　したがって、どのような場面においても、関係者にコンセンサスを得るため Win-Win の統合型交渉が、信頼関係構築と継続の手段として重要になってきます。

　さて、第2部では、医療現場における交渉場面を例に取り上げました。皆さんの周りでもよく起こっている場面ではないでしょうか。実際の交渉では、正解は1つではありませんし、相手の反応によって、対応は千差万別となり、結果も変化します。

　読者の皆さんも、一緒にお考えください。

1．看護師間の交渉場面

ケース1　新人看護師Aに対し、社会人としての勤務に対する心構えを変えたい病棟師長

　新人看護師Aは、入職後4カ月目に入りました。6月、7月と2カ月続けて2日間程度、急に「具合が悪いので休みたい」と始業時間直前に電話があり、欠勤することが多い現状です。休みの翌日には、挨拶さえなく、何もなかったような顔で出勤します。

　　師長　　：昨日はどう具合が悪かったの？
　　看護師A：なんとなくだるかったので、仕事はきついと思って休みました。

　その会話を先輩たちが耳にし、不信感と不満を持つようになりました。師長は、念のために学校の先生に、学生時代の様子を電話でうかがってみました。

　　師長：Aさんは頑張って基礎技術を覚えているところです。ただ、体調が悪いと休む日があるのですが、学生のとき、学校ではどうでしたか？
　　先生：ときどき休んではいましたが、体調が悪いようでしたし、自分からきちんと電話もありましたので、特に何も注意もしませんでした。今の子は、何も連絡せずに休むことが多いんですよ、連絡があるだけいいほうです。

　看護師Aは、今月から夜勤に入ることもあり、師長は、社会人の心得として勤務変更の重大さとマナーについて注意を促しました。看護

師Aは、「なんで具合悪くて休むのに、みんなに気を遣わなくちゃいけないんですかぁ」といいました。

どのように指導したら理解してもらえるのか、病棟師長は頭を抱えています。

ケース1の交渉（代表的な失敗交渉例）
師長　：具合が悪いとはいっても、本当に仕事ができないほど具合が悪いの？
　　　　学校は、自己責任だからそれでもいいけれど、社会人として仕事を持つということは学校とは違うでしょ。
　　　　みんなに迷惑がかかるし、何より患者さんもAさんを待っているわよ。
看護師A：具合が悪くて仕事をするほうが迷惑なんじゃないですか。師長さんは、「大した症状もないから働けるのでは」と決めつけているように思えます。私は信用されてないということですか。学校時代にも休んでいるのは、どうして知っているのですか。
師長　：いや、一般論よ。社会人として当たり前だし、それだけ強い責任感を持たないとね。休んだ後は他のメンバーにきちんと詫びの挨拶をしないと、助け合おうという気持ちが生まれないんじゃないかしら。せっかくいろいろと看護技術ができるようになったのに、もったいないわ。
　　　　それと、他の新人さんたちに早く追いつかないとね。夜勤も他の新人さんたちより出遅れたくはないでしょ。私は、Aさんに心から頑張ってほしい、成長してほしいと期待しているの。
看護師A：師長さんは見ていないかもしれませんが、先輩たちには

1．看護師間の交渉場面

ちゃんと挨拶していますよ。いつもいつもすごく気を遣っているので、6日間以上勤務が続くともう疲れちゃうんです。
それよりも、私は同期の子よりも看護技術の習得が遅れていると思っているのですか。私に期待していると言われても、これ以上はできません。もう限界です。
師長さんのいうことは納得できません、辞めたいです。

＊師長の交渉がうまくいかなかった要因
・新人看護師Aに関して情報収集が不十分なうちに指導している。
・新人看護師Aの思い、ニーズを聞いていない。
・コミュニケーション自体が、パワーバランスの固定要因であるパワー側（師長）優先になっている。
・師長が新人看護師Aと他者を比較したような評価をしており、Aさんに不快な思いをさせている。
・何をどう提案するか、合意案やゴールを設定せずに交渉している。

　では、交渉を成功に導くために、実際にどのように交渉すべきであったか、「コンフリクト分析シート」を活用して、シナリオを描きます（図表2-2）。
　師長は当初、「新人看護師Aが具合が悪いと訴え気軽に休んでしまい、社会人としての責任感が感じられない」という情報から師長が感じていることのみで、休んだことを問題視していました。
　ところが、Aさんと対話を持ち、ニーズを発掘したことで、初めてAさんと師長との共通認識ができました。Aさんは、先輩看護師に毎日気を遣い、連続勤務が続くと体力的にも精神的にも疲弊していまい、看護をする気持ちになれないという問題があることがわかりました。

第2部　ケーススタディ編

図表2-2　ケース1　コンフリクト分析シート

	私（師長）の仕事の価値観	相手（看護師A）の仕事の価値観
	仕事はよほどの理由がない限り、休んではならないものである。	具合が悪くて出勤をしたら、患者さんに良い看護ができず迷惑がかかる。
立脚点	多少具合悪くても休まないでほしい。	具合が悪いときは当然休む。
ニーズ	休暇日数は、他のスタッフと平等にしたい。みんなに気持ちよくいい仕事をさせたい。	休んでしまう精神的状況や私のことをもっと理解し、承認してほしい。私もいい仕事がしたい。

問題の再焦点化	●Aさんの具合が悪くならないようにするにはどうしたらよいか。 ●先輩看護師とうまくつきあえるようになり、皆が気持ちよく、いい仕事ができるようになるにはどうしたらよいか。

建設的提案
●具合が悪くなる要因をAさんとともに考え、対処する。 ●Aさんが具合が悪いと訴えたときは気持ちよく休ませ、元気なときはしっかり働いてもらう。 ●連続勤務は、5日以上にしない。 ●スタッフには、Aさんが継続勤務できるようにするためにはどうしたらいいか一緒に考えてもらう。

×破壊的提案　辞めてもらう　　　　　×破壊的提案　辞める

合　意
●連続6日以上の勤務計画にはせず、5日間までであれば必ず勤務することでAさんと約束をする。 ●Aさんが、具合が悪くて休む際には、始業時間前30分に師長に連絡を入れ、きちんと理由を述べる。 ●週に1回は、師長とAさんで面談し、お互いが共通認識を持ち、問題があれば対策を考える。 ●スタッフにはともに仲間として継続勤務できるよう情報を共有し、Aさんの問題解決のための協力を依頼する。

分析シートのみ　出典：経済産業省

実は、ニーズを把握できてから改めて問題を再焦点化し、交渉のスタートラインとなるのです。みな、いい仕事がしたいという思いは同じなのです。そこで、「Ａさんの具合が悪くならないようにするにはどうしたらよいか。先輩看護師とうまくつきあえるようになり、前向きな気持ちになるにはどうしたらよいか」という課題が浮上したわけです。ここでは、先輩看護師との関係性が絡んでくるため、スタッフの考えや情報も得ながらＡさんに対して協力を得るためにはスタッフへの交渉へと発展していきます。

＊Ａさんとの交渉での建設的な提案
・具合が悪くなる要因をＡさんとともに考え、対処する。
・Ａさんが具合が悪いと訴えたときは気持ちよく休ませ、元気なときはしっかり働いてもらう。
・連続勤務は、５日以上にしない。
・スタッフには、Ａさんが継続勤務できるようにするためにはどうしたらいいか一緒に考えてもらう。

の４つを考えました。
　建設的提案をもとに、Ａさんが今後も向上心を持って勤務ができるようになる方法と、他のスタッフに影響や負担がかからず不平等感を生まない方法は何かという、お互いの交渉の合意点を２人で話し合いました。
　その結果、
・連続６日以上の勤務計画にはせず、特例の場合を除き５日間までであれば必ず勤務する。
・週に１回は、師長とＡさんで面談し、お互いが共通認識を持ち、問題があれば対策を考える。
・Ａさんは、具合が悪くて休む際には、始業時間前30分までに師長に連絡を入れ、きちんと理由を述べる。

第2部　ケーススタディ編

・スタッフには情報を提供・共有し、ともに仲間として継続勤務できるようAさんの問題解決のための協力を依頼する。

という合意点を見出しました。

　Aさんは、「自分が要求した連続勤務5日までなら頑張れる」の条件が入っていますので、よほどのことがない限り急な休みは出ないことになります。また、「自分を承認してほしい」という要求は、師長との面談が定期的に約束され、師長が承認するチャンスをつくりました。「急に具合が悪いと電話が来ること」「本当にそうなのかという疑問」に関しては、連絡の時刻と方法のルールをつくり、師長が必ず状況を把握するようにしました。Aさんにとって、先輩との関係が想像以上に大きな壁になっていたのかもしれません。上司の承認とメンタルヘルスケアは、今後明るい兆しへの第一歩となるでしょう。

　人間関係のトラブルは、看護管理者として取り組むべき課題の1つです。人と人とのトラブルほど、難しいものはありません。しかし、問題はコミュニケーション不足や誤解からきていることが多くあります。

　問題解決の原点は、事実をまず詳細に知ることにあります。事実をつかんだら、その事実がなぜ起こっているのか、次に原因究明をし、

1. 看護師間の交渉場面

対策を練っていく必要があります。

　看護管理者の最大の仕事は人材育成にあります。管理者にとって部下の意欲を喚起させ、動機づけし、部下を育てていくことが主要な仕事となります（図表2-3）。

　ドラッカーは「経営資源で一番重要なのは人である」と述べており、筆者も強く共感しています。部下のキャリア支援はもとより、人間関係で悩み、辞めていく人材を出すことがないよう、全体を俯瞰しつつ一人ひとりの看護スタッフを大切にして、職場内のコミュニケーションの活性化を図りたいものです。

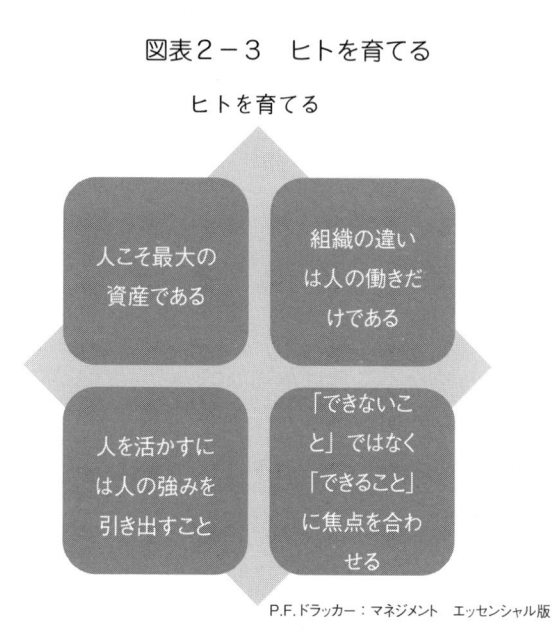

図表2-3　ヒトを育てる

ヒトを育てる

- 人こそ最大の資産である
- 組織の違いは人の働きだけである
- 人を活かすには人の強みを引き出すこと
- 「できないこと」ではなく「できること」に焦点を合わせる

P.F.ドラッカー：マネジメント　エッセンシャル版

第2部　ケーススタディ編

ケース2　病棟師長から「業務が忙しすぎるので看護師を増員してほしい」と要望された看護部長

　眼科、脳外科、呼吸器外科からなる45床の混合病棟。看護師配置数は26人で、入院基本料は7対1、変則2交代、3人夜勤をしています。病床利用率は75％、毎日の入退院患者は平均5.5人です。先月より、眼科の医師が1人増員となり、眼科手術件数が毎月60件から、毎月80件に、病床利用率は78％へと増加しました。1人月平均超過勤務は、5時間から15時間に増加し、看護師は師長へ「忙しすぎて、もうゆっくり患者の話なんて聞いてられない」と不満を漏らしています。師長は、何とかしなくてはとすぐに看護部長に増員を申し出てきました。

師長：部長、急に忙しくなって、スタッフたちが疲弊しています。眼科の手術件数が増えると、点眼処置も増えるので時間に追われています。1日2件のときもあるし、7件のときもあり、すごくバラバラなんですよ。これで、医療事故が起きないかと心配です。特に夜勤が心配です。

部長：それは大変ですね。眼科の医師が増えれば、手術が増えることは想定内だったでしょ。そのための準備や業務の見直しはしなかったの？
　　　それと、手術件数のばらつきはなぜ？　看護師の人数や業務をどのように配分しているの？

師長：はい、忙しくなることは承知していたんですが、実際ここまでになるとは予測ができませんでした。
　　　曜日によって手術件数は違うようですが、詳しくは調べていません。

部長：忙しいのはよくわかりました。では、忙しさがわかるデータをください。

いつ、どの時間帯が忙しくなるのか、看護師を何人必要としているのか、看護師でなくてはならない業務なのか、増員がないと患者ケアに影響があるのか、職種間協力としての業務の見直しはできないのか…。現在は看護師をプラス配置するのは困難です。ですが、増員を検討するには、まだまだ情報が足りませんね。

師長：そう言われてみると、確かに客観的なデータがありませんね、うっかりしていました。

部長：人を動かすとはそういうことなの。近日中に資料としてくださいね、それから考えます。

師長：はい（データが必要なのはわかっているけど、情報の取り方がよくわからない…。スタッフにはなんて言おう。自分が情けないなぁ…）。

ケース2の交渉（代表的な失敗交渉の例）

師長：データをとるにしても時間がかかるし、そのうえ業務の見直しなんてやっている余裕があまりないんですよね。今、困っているんですから。

部長：確かに忙しい現場ではその気持ちはわかります。でも、それは師長しかできないことなんですよ。

師長：それもわかっています。わかっていますけど…。

部長：わかっていたら、一歩前に進めるよう、頑張るしかないでしょ。よろしくね。

師長：はい……。でも、困っているんで何とかしてほしいです。

＊看護部長の交渉がうまくいかなかった要因
・看護師がすぐに増員できない真の理由を師長に説明していない。
・現在の病棟の状況や問題点について、自分が持っている情報が少な

く、師長任せにしている。
・師長自身の悩みやニーズを掘り起こしていない。
・何をいつまでにどうするのか、具体的な指示が出ていないため、師長がイメージしにくい。
・部長が行おうとする支援が見えていないことから、師長が不安を感じている。
・スタッフも看護師の増員を望んでいる可能性が高く、師長自身が何もしてくれていないと思われているのではないかということへのアドバイスがない。

では、交渉を成功に導くために、実際にどのように交渉すべきであったか、「交渉ゴール設定シート」を活用してシナリオを描きます（図表2－4）。

本来であれば、師長の立場から部長に対する看護師増員への交渉ですが、逆に部長の立場から、師長に何をしてほしいかという視点、また、師長とどう向き合うかという視点で整理しました。

看護部長として①自分が今困っていることは何なのか、②この交渉で師長が考えていることは何なのかを整理すると、③の一次ゴールとしてこの交渉の落ち着き先が決まります。

このケースの場合、自分が今困っていること（①）は、「看護師をプラス配置するほどの余剰人員はいないこと」、また「根拠もなく『忙しい』のみを理由にしてプラス配置をしてしまうと、他の部署は不公平感を生むこと」です。

師長が考えていることの整理（②）では、「師長が忙しさ緩和のため看護師を増やしてほしい」ということであり、今回の交渉の発端となっています。

したがって一次ゴール（③）は「看護師業務の煩雑さを軽減すること」にあります。

1. 看護師間の交渉場面

図表2－4　ケース2　交渉ゴール設定シート

①自分が今困っていること　看護師をプラス配置するほどの余剰人員はいない

③この交渉の落ち着き先（一次ゴール）
看護師業務の煩雑さ軽減

②この交渉で師長が考えていること　忙しさ緩和のため看護師を増やしてほしい

④自分が本来実現したいこと、目標
現在の看護師配置のままで業務負担軽減のための改善をし、従来どおりの質の高い看護を目指す

⑤本来の目標に対し師長が貢献できそうなこと
いつ何の業務に追われているのかを調査し、問題点を明らかにして業務整理、改善に取り組む

⑦師長の本来の目標に対し、自分が貢献できそうなこと
・プラス配置困難な理由を説明し、現状調査方法と業務改善へのアドバイス
・他部門職種間連携への交渉
・リリーフ体制による支援

⑥師長が本来実現したいこと、目標
スタッフの疲弊感をなくし、心にゆとりを持った看護が患者に提供できる

⑧　【　＝③＋⑤＋⑦】より、創造的な、この交渉のゴール（最終ゴール）
・師長が現在の状況を2日間で調査し、問題点を明らかにする（調査は部長も関与）。
・師長が問題解決のための業務改善案を主任・スタッフとともに考え、協力体制を持ち実践する。
・自部署では解決できない問題点を明らかにし、部長がニーズに応じた対応・支援を行う。

シートのみ　出典：経済産業省

　次に④として自分（部長）が本来実現したいこと、目標を考え、その内容に対して、師長が貢献できそうなこと（⑤）をあげます。

　目標（④）で部長は、「現在の看護師配置のままで業務負担軽減のための改善をし、従来どおりの質の高い看護を目指す」としました。

　そこで、「師長がいつ何の業務に追われているのかを調査し、問題点を明らかにして業務整理、改善に取り組むことが部長の目標に貢献できる」こと（⑤）としました。

　また、⑥では、師長が本来実現したいこと、目標をあげます。この

ケースでは、「スタッフの疲弊感をなくし、心にゆとりを持った看護が患者に提供できる」としました。

⑦では、師長の目標に対し、自分が貢献できそうなことを検討します。部長は、プラス配置困難な理由を師長へ説明し、現状調査方法と業務改善へのアドバイスをすること、他部門との職種間連携交渉、リリーフ体制による支援の３つを考案しました。

最後のシナリオは、③（一次ゴール）＋⑤（師長への貢献）＋⑦（自分の貢献）より、創造的な、この交渉のゴール（最終ゴール）を考えます。

その結果、３つの案を立案しました。

・師長が現在の状況を２日間で調査し、問題点を明らかにする（調査は部長も支援）。
・師長が問題解決のための業務改善案を主任・スタッフとともに考え、協力体制を得て実践する。
・自部署では解決できない問題点を明らかにし、部長がニーズに応じた対応・支援を行う。

このように、シナリオは順序立てて考えていきます。ただし、すべてがシナリオどおりにいくとは限りません。第１部解説編で説明した、この交渉のZOPA（合意可能な交渉範囲）、BATNA（交渉が決裂したときの代替案）も考えておくことも大切です。特に、他部門との交渉の際には、必ず考えておくべきです。

看護の最終目標は、患者への質の高い看護の提供です。私たち看護師は、何をする人なのか、私たちの目標は何か、そのために今何を行うべきか、時折立ち止まって内省することが重要です。

また、看護部長は患者満足度を向上させるために、医療・看護の現場を第一に考える必要があります。その場に応じて、管理の資源である、「ヒト・モノ・カネ・情報・時間・知識」をうまく活用して、現場がベストな状態で業務ができるよう調整・支援しなければなりません。

1．看護師間の交渉場面

　その資源のなかでも、いちばん重要なのは「ヒト」であると筆者は感じています。なぜなら、他の資源を管理するのも人ですから、能力の高い人材が重要となるわけです。

　動かすのも「人」、動くのも「人」です。フレディック・ハーズバーグ（1966）の動機づけ衛生理論（図表２−５）によると、人は、作業環境を整えるだけでは、不満を解消することはできてもモチベーションは上がらないと提唱しています。

　ハーズバーグは、仕事に不満をもたらす要因を「衛生要因」、満足をもたらす要因を「動機づけ要因」と呼んでいます。

　「衛生要因」には、「会社の方針、管理方法、労働環境、作業条件（金銭・時間・身分）などがあり、それらの衛生要因に対して改善を図れば、不満は解消されますが、そのことが満足感やモチベーションを高めるとは限らない」と述べています。

　一方、「動機づけ要因」には、「仕事の達成感、責任範囲の拡大、能力向上や自己成長、チャレンジングな仕事などが挙げられ、動機づけ

図表２−５　ハーズバーグ（1966）の動機づけ・衛生理論
ハーズバーグの二要因理論

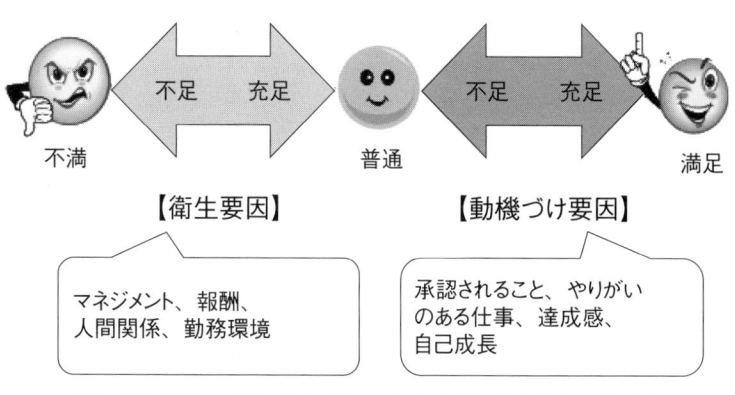

【衛生要因】　マネジメント、報酬、人間関係、勤務環境

【動機づけ要因】　承認されること、やりがいのある仕事、達成感、自己成長

仕事の満足に寄与する要因のほとんどは動機づけ要因で、不満に結びつく要因のほとんどは衛生要因である

第2部 ケーススタディ編

要因を与えることにより、満足を高め、モチベーションを向上させることができる」ということです。

したがって、管理者は、衛生要因のみを整えるにとどまらず、この交渉ゴールの先には、さらに一人ひとりが目標に向かい、生き生きと仕事ができるような動機づけ要因が必要であり、動機づけ行動をマネジメントしたいものです。図表2-6に、小笹芳央氏[27]のモチベーションの3つの輪を紹介します。筆者も納得できる内容であり、管理者として3つの重なりを広くするための努力をしなくてはと感じます。

図表2-6 モチベーションの3つの輪

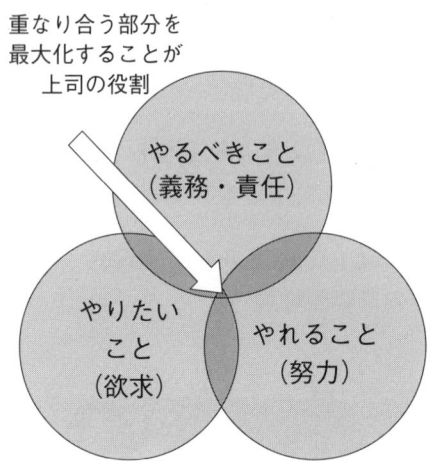

重なり合う部分を
最大化することが
上司の役割

やるべきこと
（義務・責任）

やりたい
こと
（欲求）

やれること
（努力）

三つの重なりが
小さくなるのは…
①やりたいこと、やるべきこと、
　でもできないこと
②やるべきこと、やれること、
　でもやりたくないこと
③やりたいこと、やれること、
　でもやっても意味がないこと

①やりたいことを把握する
②やるべきことを明確化する
③やれることを見極める

小笹芳央：部下のやる気は上司で決まる

2．患者・家族との交渉場面

ケース3　せん妄患者の抑制に同意している娘が、実際の抑制場面に納得がいかず苦情を訴えられた看護師

　明日、胃がんで胃切除術を予定している85歳男性の患者Cさんです。入院までは、自分の身の回りのことができ、日常の会話に支障なく生活していました。術後にせん妄が起きる可能性があるため、医療安全の面では手や足の抑制をしないとチューブ類を抜かれたり、ベッドからの転落等で生命に危険が及ぶ可能性があります。

　医師はインフォームド・コンセントを行い、抑制に関する家族からの同意を得ることができました。手術後は順調に経過し、2日間、娘さんが付添いをしていましたが、状態が比較的安定していること、また自分も少し夜はゆっくり休みたいという思いがあり、3日目には付添いを外れ、15時ごろ帰宅しました。

　ところがその日の夜の23時ごろ、患者Cさんにせん妄が出現、尿管カテーテルを引きちぎり、廊下に出て「朝飯はまだか」と大声で怒鳴っています。

　夜勤看護師3人で、ベッドに患者を移動し、同意を取ってあった抑制を開始しました。翌朝11時、面会に娘さんが来室しました。その際に、昨日とは違って抑制をしている父親の姿に納得がいかず、日勤看護師Bに詰め寄りました。

第2部　ケーススタディ編

> 娘　　　：手を縛るのはかわいそう、私がいたときはこんなことはなかった。縛っているから騒いだり、わけがわからなくなっているのではないですか？
>
> 看護師B：いえ、手術前に、先生から説明があったと思いますが、せん妄が昨夜から出たんです。同意を得ていましたので、両手を抑制させていただきました。
>
> 娘　　　：でも、昨日の昼間までは何ともなかったのに、そんなことがあるんですか？　同意はしましたが、父親が縛られるのはかわいそうなんです。私がまた24時間付き添えば外してもらえますか？
>
> 看護師B：お気持ちはわかりますが…。せん妄状態ですので、いつ何をするかわかりません。まだ、お腹から大事なドレーン（管）も入っていますし、目を離せません。
>
> 娘　　　：縛らないで済む方法はないのですか？あの姿を見ていると、私のほうの気が変になりそうです。
>
> 看護師B：安全のための方法です。ご理解できないようなら、先生にもう一度説明してもらいます。
>
> 娘　　　：先生がどうのこうのじゃないんです。何で私の言うことをわかってもらえないんだろう…

　このケースは、皆さんにも一緒に考えてください。

【問1】このケースは何が問題ですか？

【問2】あなたが娘だった場合、看護師Bの対応をどう思いますか？娘は何が不満なのでしょうか？

【問3】看護師Bがどのような対応をすれば、娘は納得されたでしょうか？

2．患者・家族との交渉場面

図表2－7　ケース3のIPI分析

イシュー(I)問題の論点は「患者Cさんを抑制すること」

患者の娘

ポジション(P)主張
「父親を縛るのはかわいそう、外してもらえないか」

インタレスト(I)根本的ニーズ
・父親のせん妄状態を受け入れられない
・抑制の同意はしたが、イメージが違った
・私の気持ちを分かってもらえない
・父親の今後が心配、不安である

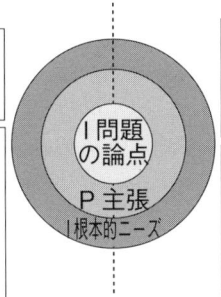

看護師B

ポジション(P)主張
「抑制は安全のために必要。理解できないのなら、先生に説明してもらう」

インタレスト(I)根本的ニーズ
・抑制の同意はされたはず。必要性を理解してほしいが、抑制する親の姿がつらいのであろう。娘の気持ちも理解できる。
・しかし、医療事故が起きたら大変、患者の安全を守りたい

　さて、今回は、コンフリクト・マネジメントの観点から問題を整理し、対策を考えましょう。

　それではこのケースのIPI分析をしてみましょう（図表2－7）。

　「患者Cさんを抑制すること」がイシュー（I）、問題の論点となります。ポジション（P）は、娘は「父親を縛るのはかわいそう、外してもらえないか」、看護師Bは、「抑制は安全のために必要。理解できないのなら、先生に説明してもらう」ということです。インタレスト（I）として根本的ニーズを整理してみましょう。

娘のインタレスト（I）は、次のような内容が考えられます。

・先生からせん妄の話は聞いていたが、いつもしっかりしていた父親が、こんな（せん妄）状態になるとは思わなかった。受け入れられない
・抑制の同意はしたが、手をこんなふうに縛ったり、動けなくするとは思わなかった
・こんな状況になっているのなら自宅に連絡がほしかった。患者のことや私のことをあまりよく考えてくれていないのではないか

- 誰も今の私の気持ちをわかってくれない。相談する人もいない
- 父親の今後が心配、この先がどうなってしまうのか不安である

看護師Bのインタレスト（I）は、娘とは認知の齟齬（ずれ）があります。しかし、ポジション（P）では相反する主張しかなかったのに対し、本来のニーズを考えることで、相手の気持ちにも触れることになります。
- 抑制の同意はされたはず。必要性を理解してほしいが、抑制する親の姿がつらいのであろう。娘の気持ちも理解できる。
- しかし、医療事故が起きたら大変、患者の安全を守りたい

次に、双方に共通するインタレスト（I）を探します。「医師から娘にせん妄と抑制の話があり、娘は同意していた」ことは、共通しています。娘は抑制という意味も理解はされていました。

では、なぜコンフリクトは起きているのでしょうか。娘は、「医師から話は聞いて、抑制の同意はしたが、まさか父親がせん妄の状態になるとは思わなかった、抑制した場合、具体的にどうなってしまうのか、イメージできていなかった」、看護師は、「インフォームド・コンセントはしっかりとってあるのに、怒り出すのはおかしい」という疑問を感じています。

医療におけるコンフリクトは「認知の齟齬（ずれ）」とされ、医療者（看護師B）と娘では、経験や知識、それぞれの日常が異なっています。ですから、同じ事象を経験しても、それぞれの背景に基づいた、異なるストーリーとして認識されてしまいます。

そこで、それぞれの現実（情報）を共有し、新たな解釈から気づきを促し、娘の認知を変容させるための対話が必要となります。

では、看護師Bがとるべき具体的対策の一例を挙げてみましょう。

① 娘がせん妄状態の父親に不安を持っていることを受け止める。

② 娘がせん妄状態についてどのような知識があるのか、よく聞き、正しく理解しているか確認する。
③ 娘が医師からの抑制の説明を受けた後、どのように抑制という行為を受け止めたか、抑制とはどのようなことを意味するのか確認する。
④ 抑制の認識が一致した時点で、もう一度必要性について説明する。理解が得られたら、抑制の方法について、娘と話し合う。例えば、娘がそばにいて手を握っていられるときには、抑制を外すが、患者のそばを離れるときは看護師を必ずコールし、抑制する。日中はなるべく覚醒させておき、夜に十分に眠れるようになればせん妄は落ち着くので、その状況により抑制をやめる。
⑤ 娘が病院を離れる際には、どのようなことがあったら連絡を入れるか、夜間でもいいのか、娘と相談して決める（娘の気持ちを尊重する）。

　インフォームド・コンセントは、コンフリクトを回避するための最も有益な場面です。しかし、医療者側によるリスクの説明は、そのままストレートに患者さんやご家族に伝わるわけではありません。現実に、対話をしながら解釈や認識のずれを調整していく必要があります。今回は、コミュニケーションが十分にされなかったケースです。ポジション（P）の主張にとらわれるのではなく、インタレスト（I）の根本的ニーズに着目することが重要です。
　皆さんの職場でもよくあるケースとして、患者さんやご家族の何げない一言をキャッチして、コミュニケーションを図っていきましょう。

第2部　ケーススタディ編

ケース4　重症患者のための個室がなく、病棟主任が患者Dに部屋移動のお願いをしたが、受け入れてもらえなかった事例

　患者Dは、慢性肝炎の54歳の男性。定期的な検査と点滴加療のための入院。会社社長をしており、個室を希望されて3日前に入院した。今朝8時ごろ、4床室の患者1人が急変した。病棟主任は、すぐに急変患者を個室に移すため、病状の安定している患者Dさんに病室の移動をお願いすることにした。

病棟主任：Dさん、大変申し訳ありませんが、急に個室を必要とする患者さんがいまして、お部屋を4床室に代わっていただけませんか？

患者D　：いきなり、どういうこと？私は個室を希望して入ったんだけど。

病棟主任：本当に申し訳ありません、どうしても個室での治療が必要なんです。

患者D　：でもさ、他にも個室の患者っていっぱいいるでしょ、なんで俺なの？

病棟主任：いちばん病状が落ち着いていると判断したので・・・

患者D　：へぇ～、落ち着いていれば部屋の移動を頼まれるんだ。じゃあ、希望は通らないってこと？

病棟主任：すみません、個室の数に限りがあるので。

患者D　：そうならそうと最初から言ってよ。それならこの病院に入院しなかったのに。個室にいられないのなら退院します。

病棟主任：えっ？すみません、入院時にそのような説明がされたと思うのですが。

患者D　：そんなの覚えてない。もし説明されていたとしても、俺は、同意はしていないよ。

112

2．患者・家族との交渉場面

病棟主任：……わかりました。他の患者さんをあたってみます。
患者D　：だったら、最初から他の患者に聞けばよかったでしょ。

　限られた病室、個室という条件はどこの病院でも同じです。部屋移動をお願いするケースは、日常茶飯事に起きていることと思います。このケースでは、イシュー（I）の問題の論点をめぐる、ポジション（P）が変化しています。ポジション（P）を追っていきましょう（図表2－8）。

患者Dのポジション（P）は、
・病院の都合で病室移動することを聞いていない。聞いたとしても同意していない
・個室はたくさんあるのに、自分が選択されたのは不愉快。希望は優先されないのか
・もし、個室を出されるなら、退院する。検査や治療は途中でも構わない。

主任看護師のポジション（P）は、
・入院時のオリエンテーションで、都合により転室はあり得るという説明をしている。
・ICUもなく重症患者の場合、個室に入れるしかない。4床室では、周りの患者に影響を及ぼすし、4床室の大部屋のままではいられない。この現状では病状が安定している患者が4床室への移動対象である。
・4床室に転室しても、当然検査や治療は継続できる。

そして、このケースのイシュー（I）は、次のようになります。
・病室移動の事前説明と同意

第2部 ケーススタディ編

図表2-8 ケース4のIPI分析

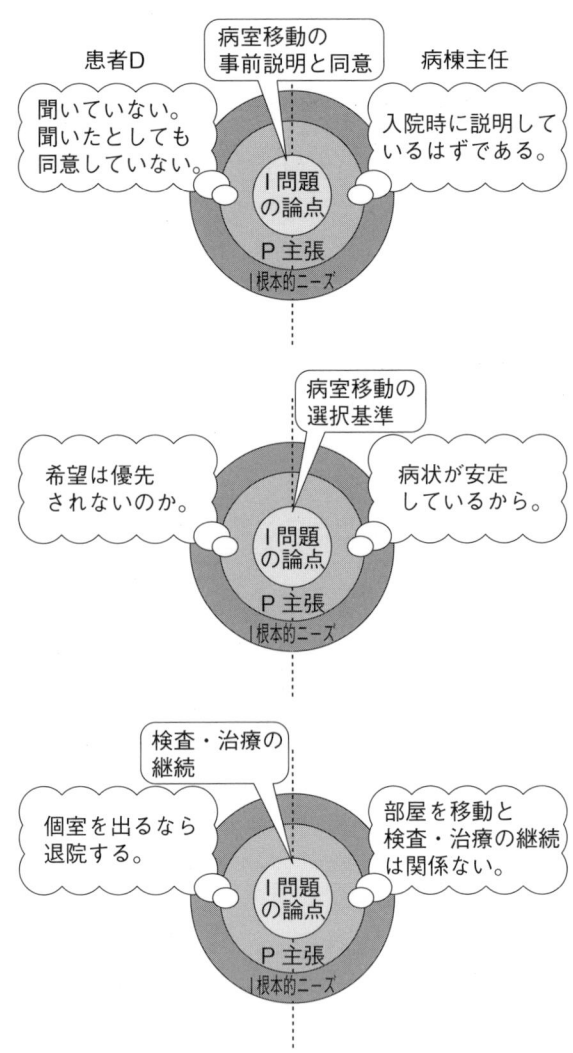

患者D / 病室移動の事前説明と同意 / 病棟主任

聞いていない。聞いたとしても同意していない。 — I問題の論点 / P主張 / I根本的ニーズ — 入院時に説明しているはずである。

病室移動の選択基準

希望は優先されないのか。 — I問題の論点 / P主張 / I根本的ニーズ — 病状が安定しているから。

検査・治療の継続

個室を出るなら退院する。 — I問題の論点 / P主張 / I根本的ニーズ — 部屋を移動と検査・治療の継続は関係ない。

・病室移動の選択基準
・検査、治療の継続

114

2．患者・家族との交渉場面

患者Dのインタレスト（I）は、次のような内容が考えられます。
- 半年前の入院時も個室だったし、希望は通るものだと思っていた。事前に説明してくれていると言ったが、「前回も同じ病棟に入院しているので、大丈夫ですよね」と、特別な説明はなかった
- 私は、仕事の関係で面会が非常に多い。入院していても、商談をしなくてはならないため、個室でないと困る
- 検査・治療は続けたいが、仕事ができなくなるならこの病院での入院を継続することは無理である

病棟主任のインタレスト（I）は、次のような内容が考えられます。
- 病院は、重症度を再優先して病室の判断をしなければならない。重症患者の治療は、多床室では困難であるし、他の患者さんやご家族に迷惑がかかる。部屋の移動は当然であり、軽症の患者さんに了解してもらうしかない。だから、入院時に説明をしている。
- 患者Dさんは、社長という地位から個室を希望されていると思う。しかし、個室にいられないなら退院するという言葉を発したDさんには、単なる地位だけではない、何らかの理由があるのかもしれない。病院側の都合を押し付けようとしているのは事実であり、Dさんの心情も理解してあげるべき。

さて、問題解決の糸口は見いだせましたか？

患者Dが、なぜ個室を希望されているか、病棟主任は情報をつかんでないようです。病棟主任は、「会社社長というポジションだから、少しわがままを言っている」という先入観を持っていたような気がします。患者Dは、仕事が切り離せない状況で入院治療をしています。

では、このケースの場合の具体的対策例を挙げましょう。
① 入院時に、患者Dが個室を希望される理由を聞く。そのうえで、病院としての病室利用（転室にも協力いただきたいこと）につい

115

第2部　ケーススタディ編

　　　て説明する。
② 今回の転室の交渉の際に、患者Dが拒む理由をまず傾聴する。
③ 個室希望の理由が商談等のための面会が多いことであったら、必要時に個別の面会室の利用ができるよう調整すれば、4床室でもよいかを交渉する。
④ 他の個室が利用できるようになったら、優先的に移動することを約束する。

　個室が必要になってから交渉するのではなく、入院時（①）から事前に患者ニーズをつかんでおけば、コンフリクトは起きなかったかもしれません。患者は、医療者が自分をよく理解していると思ったときに、信頼関係が構築されます。ケース3と同様、ポジション（P）と、インタレスト（I）を重視し、まずは、患者の思いをよく傾聴することが重要です。

　Dさんの場合、入院治療と同時に、仕事も何らかの形で継続しなければならず、その手段として個室を必要としていたのです。業務に追われ、患者にかかわる時間が少なくなっていると嘆くスタッフもいますが、時間があっても患者一人ひとりのニーズをとらえることができなければ何の意味もありません。コンフリクトが起きた場合、「人」と「問題」を切り離し、将来志向での問題解決に努めましょう。

3．医師との交渉場面

ケース5　指示出し時間を守ってくれない外科医師Gに対するリーダー看護師Hによる交渉

　当院の日勤の勤務時間は、8時から17時です。翌日の検査や点滴のオーダールールは、16時までが原則となっています。しかし、医師Gは、時間を守ることが少なく、いつも17時近くにオーダー入力をしています。そのため、日勤看護師が超過勤務なってしまう場合が多々あります。リーダー看護師Hは、今日は子供との約束があり、何としても18時までには家に帰りたいと思っています。そんなおり、医師Gがいつものように、17時ごろ看護師Hの受け持ち患者のオーダーを出しました。血糖の日内変動、胃ファイバースコープ、その他数点のオーダーです。医師から患者への説明もこれからです。

看護師H：先生はいつもいつもこの時間にオーダー出していますよね。
　　　　　患者さんも、私たちも困るんですよね。夜勤者は3人しかいないし、オーダーが出たのを他の看護師に頼んで帰るわけにはいかないし。
医師G　：悪い、悪い。別に好きで今の時間にオーダーしているわけじゃないし、しょうがないでしょ。
看護師H：先生はどうしてルールを守れないんですか？守ろうとする意思はあるんですか？
医師G　：おいおい、今日はずいぶん攻撃的だねぇ。まあ、いいじゃないか。
看護師H：いつもそうやってごまかすんですね……。もういいです。

このケースでは、皆さんにも一緒に考えていただきます。

第2部　ケーススタディ編

【問1】このケースは何が問題ですか？

【問2】あなたが医師Gだった場合、看護師Hの対応をどう思いますか？

【問3】看護師Hがどのような対応をすれば、医師Gは納得されたでしょうか？

　この交渉は、なぜうまくいかなかったのでしょう。
　第1部解説編の医師との交渉で述べたように、事実・データ・証拠・根拠を常に求めてくるのが医師です。専門職であるというプライドを持ち、仕事を押し付けられることを嫌います。このケースでは、看護師Hが、常日頃からたまっていた時間外オーダーに対する不満、当日の自分の予定に影響してしまうという心理から、なんとかしてほしいという感情が先走ってしまいました。このような交渉はうまくいきません。
　交渉は、自分と相手方の価値交換に関する合意を導き出すためのプロセスです。交渉が困難であればあるほど、どのように交渉を進めればうまくいくのか、綿密な準備が必要となってきます。
　では、このケースには、図表2－9の価値交換戦略シートを活用し、これらをもとに交渉してみましょう。
　ゴール設定は、時間外の医師Gのオーダーをなくすこと、あるいは最小限にすることです。この交渉に関しては、リーダー看護師Hがしていますが、スタッフが交渉すべきか、病棟師長がすべきか、その環境に応じて判断して交渉者を決めるとよいでしょう。
　医師Gは、自分が時間外にオーダーしている事実をどのくらい知っているのでしょうか。毎日の習慣になっていると、あまり時間を気にせずに出している可能性もあります。医師Gは、時間外になっても一

3. 医師との交渉場面

図表2−9　ケース5　価値交換戦略立案シート

看護師Hの要望・ニーズ	こちらから提供する要素	相手から獲得する要素	医師Gの要望・ニーズ
オーダーは、病院ルール時間を守ってほしい（医師Gの実際のオーダー時間のデータを提示）		8時30分までに情報があればオーダー可能	朝病棟に行くが、患者情報が不足していて、オーダーが出せない。朝の段階で、患者情報がほしい。別にオーダー時間を守りたくないわけではない。
朝8時半には看護師もまだ情報をよく把握していない。	10時過ぎなら情報提供可能		9時過ぎは、外来か手術。結局病棟にまた来るのは、16時は過ぎるから16時までのオーダーは無理。
最低何の情報が欲しいのか教えてほしい。	バイタルサインを8時半までにカルテに記載。	可能な限り9時までにオーダーする。状態が変化した患者のみ、夕方オーダーを追加する。	バイタルサインが欲しい。朝の段階ではまだ記載されていない。

シートのみ　出典：経済産業省

生懸命に仕事をしているのですから、そこは認めるべきです。

看護師H：G先生は、いつも遅くまでに働かれているのですね、お疲れさまです。オーダーも、毎日5件程度、17時過ぎに出されていますから。

医師G　：そうなんだよ、いつも時間外にオーダーを出してすまないと思っている。でも、病棟に来るのはいつも夕方になってしまうし…。

　　　　　と、返答があったら、しめたものです。最初からこちらの要望をストレートに話すと、一生懸命にやっている人ほど、

119

第2部　ケーススタディ編

誰でもカチンとくるものです。
看護師H：G先生が病棟に来られる時間はいつなんですか。
医師G　：朝と夕方。それ以外は、外来とか手術だから…
看護師H：じゃあ、朝の段階でオーダーって出すことは可能ですか？
医師G　：いや、夜間の情報が何もわからないし、まだ患者の回診にはいけないし。8時半までに情報がわかればいいんだけど。
看護師H：8時半だと、まだ日勤者も情報を把握していないですから、報告は難しいですね。G先生としては、何の情報があればオーダーできるのですか？
医師G　：バイタルサインだけでもカルテに記載してあると、術後の状況がわかるからオーダーできるよ。
看護師H：わかりました、夜間帯の情報がつかめれば、指示を出してくださるのですね。であれば、日勤で変化のあった患者のみ、夕方オーダーということになりますね。患者さんも、朝のうちに明日のスケジュールがわかると安心すると思います。
　　　　　夜勤者が、8時半までにバイタルサインの記録を必ず行うようにするということを、師長にも相談しておきます。はっきり決まりましたら、またご報告します。

　いかがでしょうか。同じ交渉でも、統合型交渉で、このように気持よく Win-Win に終わりたいものです。
　信頼関係があり、コミュニケーションが円滑であれば、交渉も円滑に進められます。交渉においてのコミュニケーションは、一方通行ではなく、双方が話し、聞くという形の双方通行でなければなりません。相手の立場やニーズを理解することが、交渉のゴールに向かうポイントとなります。

3. 医師との交渉場面

> ケース6　いつも看護師に大声で怒ってくる医師Ｉに対し、何とかしたいと思っている看護師長
>
> 　内科医師Ｉは、外来患者がいる前で毎日のように看護師に対して大声で叱っています。普段は、とてもやさしく、患者からの信頼も厚いようですが、忙しくなるといつでもどこでも見境なく怒鳴ります。看護師は怒られると震えてしまって、身動きが取れなくなります。医師Ｉの診察の介助には、誰も入りたくない状況になっています。同時に、患者との信頼関係への影響も出てしまいます。
>
> 看護師を叱る場面です。
> 医師Ｉ：だからいつも言ってるだろぅ、手際良くやってくれよ。今日の午後は気管支ファイバーが入っているんだから、それまでに終わるように診察を振り分けなくちゃだめじゃないか。
> 看護師：はい…。
> 医師Ｉ：これ以上の診察は無理だよ。予約以外の患者も今日はずいぶん入れただろ。
> 看護師：２人しか入れていませんが…。
> 医師Ｉ：２人っていっても、その結果、終了時間が遅くなるのはだめなんだよ、検査時間はずらせないんだよ、どうしてくれるんだ。

　看護師長は、どうして患者の前で叱るのか、怒鳴るほどの理由は何なのか、現状を改善しないと看護師の離職にもつながりかねないことから、いつかゆっくりと医師Ｉと話し合いたいと思っています。
　そこで、ニーズへの対応法考案シートを使って交渉の準備をしてみます（図表２-10）。
　まず、「医師Ｉのニーズ」を掘り起こします。その後、何がいちば

第2部　ケーススタディ編

図表2-10　ケース6　ニーズへの対応法　考案シート

①医師Ⅰのニーズ《重要度》		②医師Ⅰのニーズを満たす・問題解決方法・アイデア	③自分方の特徴・資源
1．診察の環境を整えてほしい	1	1．医師同士の協力体制を整備し、患者さんが安心してかかれる仕組みづくりをする。	1．内科部長と相談。内科全体の問題と捉え、検討する。
2．スケジュールどおりに仕事をこなしたい	2	2．診察介助に入る看護師は、医師Ⅰのスケジュールを把握し、時間管理をする。	2．医師Ⅰのスケジュールについて把握する。
3．看護師の態度にイライラする	4	3．医師Ⅰとの対話を多く持ち、看護師長も状況に応じて承認していることを態度で示す。	3．医師Ⅰとのカンファレンスを開催し、業務成績と、ニーズの確認作業を行う。
4．自分が頑張っているのを誰も認めてくれない	3	4．診察配分の時間管理と、スムーズな診察介助ができれば、医師のイライラは減るので、先読みした診察介助ができるよう、看護師もスキルを上げる学習をする。	4．看護師のスキル向上

ん重要なのか、優先順位をつけます。

　ニーズとして考えられるのは、
1．診察の環境を整えてほしい
2．スケジュールどおりに仕事をこなしたい
3．自分が頑張っているのを誰も認めてくれない
そして1～3がうまくいっていないことによる
4．看護師の態度にイライラするので何とかしてほしい
という順番にしました。

　次に、「医師Ⅰのニーズを満たす・問題解決方法・アイデア」を考えます。
1．医師同士の協力体制を整備し、患者さんが安心してかかれる仕組みづくりをする。

3．医師との交渉場面

2．診察介助に入る看護師は、医師Ｉのスケジュールを把握し、時間管理をする。
3．医師Ｉとの対話を多く持ち、看護師長も状況に応じて承認していることを態度で示す。
4．診察配分の時間管理と、スムーズな診察介助ができれば、医師のイライラは減るので、先読みした診察介助ができるよう、看護師もスキルを上げる学習をする。

としました。

最終段階では、「自分方の特徴・資源」を整理します。

1．内科部長と相談。内科全体の問題ととらえ、検討する。
2．医師Ｉのスケジュールについて把握する。
3．医師Ｉとのカンファレンスを開催し、業務成績と、ニーズの確認作業を行う。
4．看護師のスキル向上

　実際、このニーズ対応策のように問題解決方法を立案しても、スムーズに解決できないことが多いと思います。ですが、相手は何を望んでいるか、ニーズを掘り起こし、ニーズに対して何が提供できるかという視点で対応していかないと、現状は打破できません。

　まずは相手の話していることを受け止め、相手の期待していることは何なのか、自分たちの認識とのずれは何なのかを探る必要があります。怒鳴られることで看護師もつらい思いをしていますが、怒鳴る医師も決して気持ちがいいものではありません。現在の看護師の立場であると、医師の方が有意であるLose-Win型交渉となっています。相手との関係性が重要であり、また今後のことを考えるとあまり強くは押せない場合のアプローチです。

　医師Ｉとの交渉で、少しずつ改善に取り組み、お互いがより良いパートナーシップがとれるような関係にしたいものです。

4．他の職種との交渉場面

> ケース7　検査部門と看護部門間の検体運搬業務の交渉

　当病院は303床の療養病床（50床）を含む7病棟の総合病院。職員は全体で450人おり、検査部門は25人、看護部門は250人が勤務しています。検査部門は夜間が宿直体制、朝は8時から日勤者が各病棟の検体回収をしています（検体の運搬機設備はない）。しかし、朝一番に知りたい重症患者の採血検査結果が9時半過ぎにならないと出ないこともあり、医師のほうから問題視されています。そこで、検討の結果、検査技師2人が早出として、7時から出勤することになり、8時半までには緊急検査の結果を出すことになりました。

　そこでまた、異なる問題が出現しました。採血検体を7時までに誰かが検査科まで運ばなければならないのです。検査科宿直者は、夜間の検査対応で搬送不可能、検査技師の早出も回収作業から行っていては検査の作業に入れません。他の勤務者としては、夜勤の看護師しかいない状況です。さて、この問題をどのように解決しますか？

検査科技師長：入院患者の緊急検査を朝8時半までに出すために、看護部に検体の搬送を協力してほしいのですが。

看護部長　　：そうですねぇ、確かに緊急検査の結果が遅い時間にしか出ないのは問題ですよね。

検査科技師長：内科の医長から、毎日のように苦情が来ていたんですよ。

看護部長　　：そうでしたか。それは大変でしたね。ですが…、看護師が搬送するとなると6時半くらいの時間は患者さんの起床時間ですので、いちばんケアが必要な時間です。夜勤者3人が40人を超える患者を見ていますから、それをおろそかにはできないですね。

4．他の職種との交渉場面

> 検査科技師長：それも良くわかっていてのお願いなんです。なんとかなりませんか？
> 看護部長　　：困りました。技師長の言っていることもわかるのですが、患者さんに迷惑がかからないようにして、何かいい方法はないでしょうか？
> 検査科技師長：方法がないから、看護部長にお願いしているんですよ。
> 看護部長　　：少し考えさせて下さい。

看護部長という立場で交渉成立の方法を立案します。

● この交渉の検査科と看護部の顕在ニーズと潜在ニーズを整理しましょう。

検査科技師長
　顕在ニーズ：8時半までに検査結果を出したい。結果が出れば早く治療ができる。医師から苦情を言われたくない。
　潜在ニーズ：今まで検査技師が8時に検体を回収していたが、検査技師はメッセンジャーではない。検査技師は、検査の業務に専念したい。

看護部長
　顕在ニーズ：検査結果は8時半までに出たほうがよい。結果が出れば早く治療ができる。
　　　　　　看護師は早朝6時くらいには採血が終了しているし、時間的には問題ない。
　　　　　　しかし、少ない夜勤看護師のなかから、検体を搬送するのは患者ケアに影響がでる。看護補助者に依頼するにしても、この時間からの出勤は無理。
　潜在ニーズ：なんでもかんでも看護師の仕事になってしまうとな

ると、モチベーションが下がる。看護本来の仕事がしたい。

● ゴールを設定しましょう。
　ゴール：検査技師の出勤を6時30分とし、検体回収作業を継続してもらう。
　　　　将来的には、気送管設備の導入（費用がかかるためすぐには無理）。

● 交渉がうまくいかなかったときのBATNAを考えましょう。
　　　　看護師による6時半～7時の検体搬送の実施（患者の状況により多少前後を可能とする）。
　　　　ただし、交換条件として翌日の採血用スピッツは、看護師や看護補助者が検査科に取りに行くのではなく検査技師が各病棟に配送するということにし、看護師に負担感を感じさせない。

● このケースで分配型交渉をするとどのようになりますか？
　　　　患者のケアを最優先するという理由から、看護師が検体の配送は一切行わない。
　　　　検査技師の方で、問題解決を考えてもらう。

● 統合型交渉をするにはどのように交渉を進めますか？
　　　　「7時からの検査開始、8時半検査結果を医師に報告」という目標に向かい、検査科技師長、看護部長がお互いに自分側は何ができるか整理する。最大限できること（価値）を交換する。
　　　　このケースの場合、検査技師の6時半出勤は実際の場面

に置き換えると、5時には家を出る技師も出てくることに鑑み、看護部長は2年後に病院建て替え時の気送管導入という解決策が出るまでは、看護師による検体搬送というBATNAを選んだ。同じ病院の職員を思ってのことである。

　ただし、部下である看護師には業務を請け負った理由と経緯をよく説明し、部下にも十分に理解を求める必要がある。また、検体の搬送時間は5分もかからない作業であっても、決して患者には影響しないよう、病棟が安全な状況を確認してから搬送することを厳守させる。

第2部　ケーススタディ編

> ケース8　看護に伴う高額機器を、今年度何とか手に入れたい看護副部長
>
> 　毎年行う高額備品の申請時期がきました。当院は、2月が申請時期です。病院経営はあまり芳しくなく、赤字を免れるのが精いっぱいの病院です。看護部は、ケア用品を少しずつ購入していますが、あまり高額なものはダメと事務部門から指摘を受け、欲しいものもなかなか手に入らない状況です。予算を立てても、高額な機器はまず計画からはずれます。
>
> 　建物は築40年ということもあり、残念なことに各病棟に入浴設備がありません。看護師のケアに対する意識は高いため、週に1回しか入浴できないため、患者には毎日全身清拭をしています。ですが、やはり清拭では清潔ケアの限界があり、患者満足度向上のためにも、もう少し頻繁に入浴させてあげたいと思っています。
>
> 　そこで、次年度は、全病棟が効率よく入浴できることを目標に、介助浴機器購入を希望しました。看護部では過去にない大型予算となります。何としても、患者サービスの一環である費用対効果として必要性を理解してもらい、購入の承認をしてもらいたいと思っています。

　ここでは、図表2-11の関心事項を使用して整理しましょう。

　グループ構成員は、自分方が看護部長と看護副部長、相手方が事務部長と資材課長、第3者が院長という構成になります。重要な問題は、

1. 7病棟入院患者約300人に対し、浴槽（シャワー含む）が5つと少ない。
2. 入院患者1人当たり、週に1〜2回しか入浴できず、十分な清潔ケアができない。

という、2点になります。

4．他の職種との交渉場面

図表2-11　ケース8　関心事項

グループ構成員と問題	関心事項
《グループ構成員》 ● 看護部長、看護副部長 ● 院長 ● 事務部長、資材課長	《当方》…看護部長・看護副部長 次年度予算に介助浴機器を入れてほしい
《重要な問題》 1．7病棟入院患者約300人に対し、入浴設備が5室と少ない。 2．入院患者1人当たり、週に1～2回の入浴回数しか入れず、患者に十分な清潔ケアができない。 《提案》 患者の清潔ケアにおける現在の問題点の整理・明確化し、情報共有のための改善策を5W2Hで提案書として出します。また、改善策の効果の前後比較をデータとして出す。	《相手方》…事務部長・資材課長 理由は理解できるが、予算の問題がある。 おおよそ700万円かかるので、次年度予算の優先順位の何番目に入れるかできまる。 《第3者》…院長 患者満足度向上のためにも、次年度予算として、優先順位を高くしても良いのではないか。普段、看護部は頑張ってくれている。

　提案として、患者の清潔ケアにおける現在の問題点の整理・明確化し、情報共有のための改善策を5W2Hで、また、改善策の効果の前後比較をデータ化し提案書として出します。

　次に、それぞれの立場の関心事項をまとめます。

　看護部長・看護副部長は、「次年度予算に介助浴機器を入れてほしい」という要望です。相手方は、「理由は理解できるが、予算の問題がある。おおよそ700万円かかるので、次年度予算の優先順位の何番目に入れるかで決まる」、第3者である院長は、「患者満足度向上のためにも、次年度予算として、優先順位を高くしても良いのではないか。看護部はいつもがんばってくれているから」と考えていました。

　事務部と看護部間の交渉であると、介助浴機器購入の必要性は理解できても、予算内に収めるための優先順位まで決定できない状況でし

第2部　ケーススタディ編

た。院長が患者を視点に考えてくれたこと、普段からの看護部との信頼関係が厚かったことが病院長の決断につながり、交渉は比較的容易に成立しました。

　第1部解説編のとおり、事務部門との交渉は、患者の清潔ケアにおける現在の問題点の整理・明確化し、情報共有のための改善策の提案を、5W2Hで出します。また、改善策の効果を必ず示します。効果は、具体的な費用対効果として数値で示したいところですが、この場合の数値としては利益では出ませんので、患者1人当たりの入浴時回数と、患者満足度、看護職にかかる入浴労働時間や業務負担について前後比較を出します。数値にはそれだけ説得力がありますし、説得ができない数値は提案しても役に立ちません。

5. 会議を活用しての交渉場面

> ケース9　入院決定時、病床を医師が采配しており、病棟間の利用率に較差がでているため、病床管理を改善したい看護部長
>
> 　512床の地域中核の総合病院。病棟は11病棟。内訳は内科が4病棟、小児科・産婦人科が1病棟、外科系が5病棟、回復期リハビリテーション病棟が1病棟。病床利用率は71％と低く、特に利用が低い病棟は48％、高い病棟は89％と較差がみられています。その理由の1つとして、医師は自分が入れたい病棟を指定して、入院ベッドをコントロールしていることがあります。また、病棟別の「科」を乗り越えて入院をさせない風土があります。患者のため、また看護師業務の平準化を図るためにも、どの病棟でも何科の患者でも受けるように、病院長から方針が出ているにもかかわらず、なかなか改善できません。
>
> 　そこで、看護部長は改善のための戦略を立て、病棟再編とダウンサイジングとして1病棟閉棟に踏み切ろうと、病院長に提案したいと考えました。患者状況に応じて必要な病棟に看護師配置を厚くし、ケアの質を確保しつつ、効率の良い病棟管理をしたいと思ったからです。

　病院全体のシステムを変えようとする際には、病院の全体最適も考えた用意周到なシナリオが必要です。人を動かすために必要なデータ、予測される成果（費用対効果）等を準備し、いつ、誰に、どのようなことを話すのが効果的かを見極め、スケジュールを考えます。このケースは、「交渉力の8要素」を活用した事例です。

● ゴール設定
・ケアの質を落とさず、効率的な病棟再編を行う。
・ベットコントロールタワー（司令塔）を看護部に置くこと。

第2部　ケーススタディ編

①いつから始めたいのか、ゴール決行の日を決める（約3カ月後）。
②状況評価とスケジュールの立案
　誰にどのように内諾を得ていくのか、おおよそのスケジュールを決める。
　　約2週間：ニーズ創出～価値ポジショニングまでを、院長、事務部長と検討する
　　1カ月後：閉棟となる病棟の科の医長、師長に内諾を得る。
　　　　　　病院運営者会議で承認を得た後に、医局、師長会議で説明し、合意を得た後、最終的に全職員に説明を設ける。
　　2カ月後：現場との期待値調整、ベットコントロールタワーの運用プレゼンテーション。
　　3カ月後：病棟再編、看護部ベットコントロールタワーを実施する。

● ニーズ創出
①まずは顕在ニーズとして現状をよく調査し、病棟再編のための根拠を明らかにする。
　現状の徹底調査：病棟別と科別の調査として病棟利用状況、入院患者の推移、在院日数、看護必要度、手術件数の推移、緊急入院患者数などの1年分のデータ
　労働環境調査：超過勤務時間と勤務状況、休憩時間、有休取得日数、夜勤時間など。
②個別のニーズを潜在的ニーズとして聞き出す。
　インタビュー調査：病棟再編、ベットコントロールに関する医師、看護師のニーズ。
　医師、看護師の労働意欲、学習意欲。
● 価値ポジショニング

①病棟再編が、病院にとって、職員にとって価値（意義）のあるものになるよう提案する。
②ある科に不都合が出るようなときには、その科のニーズに近づけた提案をする。
③病棟再編後は、看護部がすべての病棟の平準化を図り、効率の良いベットコントロールをするために、ベットコントロールタワーになることを提案する。

● 期待値調整

病院長と事務部長に病棟再編案を提案し、再編の根拠を説明する。再編案に問題はないか、全体を俯瞰して期待値の調整を行う。

● 駆け引き、合意形成
①各会議での病棟再編とベットコントロールタワーの目的、意義を説明する。
②病棟再編の根拠を説明する。
③疑問点、不明な点を明確にし、合意形成する。

有名なリッカート（1916）の連結ピンモデルは、「参画マネジメント」を提唱しています。とかく日本的経営においては、「根回し」が非常に重要視されています。人が反対する最大の理由は、「私は聞いていない」ということであり、できる限り、目標の設定や立案には、大いに部下を参画させることが大切であると述べています。

部下でなくても、病院での決定事項を自分だけが知らないとき、話の内容よりも聞いていないことに腹を立てることが多いように思えます。

したがって、新たな決めごとは、それぞれの職員に、順序立てて理解を仰いでいくことが重要です。

第 2 部　ケーススタディ編

　また、説明により理解を得たと仮定しても、「理解」と「納得」は別物であり、特に目的や経緯を知らない職員には、「総論は賛成、各論は反対」となる人もいます。新しい取り組みを開始した後は、アンテナを高くし、職員の反応やニーズを把握して、ゴールに向かえるよう随時対応するように心がけましょう。

第3部

看護管理者としての交渉実例
~筆者の場合~

第3部　看護管理者としての交渉実例　～筆者の場合～

交渉術で組織を動かす

　第1部は交渉のテクニックと基礎理論、第2部はケーススタディと続きましたが、「交渉はいつでも、だれでも、どんなところでも行われており、特別なことではないこと」は、理解できましたでしょうか。

　人が2人以上集まれば、交渉はつきものであり、また、2人以上が集まる組織は、経営資源いわゆる人間関係も含めた組織全体を管理者がマネジメントするという任務が発生します。

　マネジメントは、人やものごとの調和を保ちながら望ましい方向に動かすことです。すなわち、組織や職場の目標を達成するためにヒト・モノ・カネ・時間・情報などの経営資源を効果的・経済的に活用することです。P. F. ドラッカーは「職員（人）を通して仕事の成果を上げること、経営資源の最大活用による部門目標の達成・成果を得ること」と述べています[50]。マネジメントをするにあたり、個人の価値観や患者ニーズが多様化している中、経営参画と外部環境に対応できるよう看護師にも変革を求められています。特に近年では、「在宅医療と看護」「患者を生活者としてとらえる」「地域包括ケアシステム」という視点無しでは看護が語れなくなりました。

　マネジメントしていく上で、唯一絶対の最善策というものはありません。状況により、変化と柔軟な取り組みが必要です。激動の時代であるからこそ、リーダーシップを発揮し、変化に対応できるよう改革に臨まなければなりません。その手段として、理想とする病院・目指すべき看護への意思決

定、問題解決、人間関係調整、業務改善等々、さまざまな場面でWin-Winの統合型交渉を必要としています。

　そこで、筆者の過去の交渉場面から、組織を動かすことができたケース、組織内での意思疎通が深まったケースを紹介します。これらの過去のケースの交渉に関しては、筆者がまだ交渉のテクニックを学んでいない時期です。しかし、交渉理論にあてはめてみますと、まさに「交渉術」そのものでした。

　読者の皆さまも、是非過去の交渉場面をリフレクションしながら交渉理論と照らし合わせてみましょう。

第3部 看護管理者としての交渉実例 ～筆者の場合～

1．院内感染対策の改善と組織化へ交渉

感染対策コストの削減とICT・リンクナース会の立ち上げ

　筆者の人生の分岐点といってもいい出来事は、「院内感染」との出会いでした。2002年、看護師長として勤務していた当時、日本文化連院内感染対策予防研修会の5回シリーズ編（10日間）を受けました。当時、病院で取り組んでいた感染対策とは大きく違い、「目からウロコが落ちる」とは、こんなときに使う言葉と痛感したのです。実に衝撃的な研修でした。すばらしい講師陣や受講仲間たちとの出会い、そして研修そのものが、心の中に眠っていた熱い思いに火をつけ、「当院の感染対策を変えたい」と強く決意したのです。

　日本の感染対策の歴史をたどると、欧米レベルにかなりの遅れをとっていたことをこの研修で知り、驚きました。英国では1928年にペニシリンが発見され、1942年には医療現場にペニシリンが導入されました。以降、医療関連感染対策の必要性・重要性が認識されるようになってきたのです。

　また、米国の病院では1950～1960年代に、黄色ブドウ球菌による院内感染が爆発的に増加し、1963年に米国CDCが、Infection Control Professionals（ICP、院内感染担当官）を各病院で設置するよう勧告し、1970年には米国院内感染サーベイランス（NNIS）が開始されました。1959年初めての感染管理看護師（ICN）が英国で任命され、1960年には、英国感染管理看護師協会が設立されるなど、約50年にわたる感染対策の歴史が刻まれています。

　日本では、1999年に国内複数の感染症関連学会の主導によりICD（Infection Control Doctor）の認定制度が始まり、同年、日本看護協会認定による感染管理認定看護師制度がスタートしました。2000年に

は、厚生労働省による医療関連感染のサーベイランスが開始されました。欧米から、約40年遅れての制度化です。しかし、日本はその遅れをここ10数年で、同レベルに追いついたというのも実にすばらしい功績だと思います。

　昨今、社会の変化・成熟に伴い疾病構造は変化し、医療安全の確保と感染対策の強化は重要性を増すばかりです。そのような中、感染対策は理解しているだけでは全く意味がありません。一人ひとりが正しい感染対策を、確実に実践することがゴールです。

　当院は2002年当時、ICDもICNもいませんでした。当然、感染対策に明るい人材はいませんでした。何回か研修に通う電車の中で、学んだ感染対策をいかに当院に浸透させていくかを、真剣に考えていました。そして「人を動かすのは、人の心を動かすこと」、つまり、根本から変えるためには、職員にも「目からウロコ」の体験をさせ、変革が必要と考えました。

　研修は、5月から11月でしたので、12月に院内全体の院内感染対策研修会を開きたいと、心に誓って準備をしていました。そして、11月には本来の交渉準備段階として病院長と看護部長に交渉しました。

　「今の当院の感染対策は、かなり改善が必要です。なぜ必要なのかを全職員に理解してほしいと考えています。12月には、自分が研修会を開きたいのですが、よろしいでしょうか」とお願いしました。

　次はプレゼンテーション

第3部　看護管理者としての交渉実例　～筆者の場合～

を有効に行うことも作戦です。せっかく研修会を開いても、人が集まらないのでは意味がありません。筆者が講義する研修会を、自分自身で呼びかけるのは少し抵抗はありましたが、動機付けをするためには必要な研修であると必死でした。結果、通常の研修会の約1.5倍も職員を集めることができました。そして、看護部だけでなく、他の部門からも多く集まったことも、研修会の意義がありました。

　さあ、ここからがスタートラインです。研修会の参加率は良かったとはいえ、全員が参加したわけでもありませんし、1回の研修会で何かを変えることはそうそうできるものではありません。第1回ということもあり、まずは、「へぇ～、今やっている感染対策って、エビデンスがないんだ」と疑問に思ってくれるだけでよかったのです。1人でも2人でも「目からウロコ」になってもらえばよかったのです。

　筆者の交渉のゴール設定は、「病院の感染対策が改善すること、そのためには組織的な感染管理活動ができること」を目指していました。

現状分析～戦略の準備と展開～

　図表3－1のような、交渉を成功させるための手順にあてはめてみます。まずは1人でできることは何かを考えました。それが、Step1である現状把握と分析です。

　当時は、師長という立場もあり、現場の状況を生の声として把握しつつ改善する醍醐味がありました。組織横断的に情報を収集することで、いかに人は今までの慣習にとらわれて動いているかということを、しみじみと感じさせられました。

　不思議なものですが、看護師は病棟によってやり方が違っても、「うちの病棟は、こうだから」という方法に流されてしまうのです。目的や基準が明確ではないことが多く、それまでのやり方に合わせるしかなく、抵抗する意味もないのです。

1. 院内感染対策の改善と組織化へ交渉

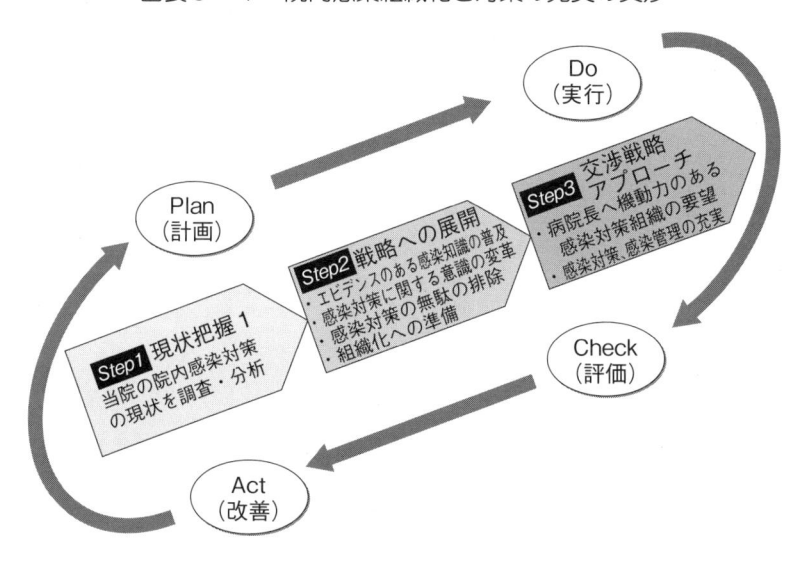

図表3-1：院内感染組織化と対策の充実の交渉

```
          Do
         （実行）

              Step3 交渉戦略
                   アプローチのある
                   ・病院長へ機動力の要望
  Plan          Step2 戦略への展開    ・感染対策組織の要望
 （計画）         ・エビデンスのある感染知識の普及  感染対策、感染管理の充実
                ・感染対策に関する意識の変革
                ・感染対策の無駄の排除
        Step1 現状把握1  ・組織化への準備
        当院の院内感染対策
        の現状を調査・分析              Check
                                  （評価）

          Act
         （改善）
```

　現状分析ができたら、次は Step2 です。Step2 は、戦略の準備と展開です。

　初めに筆者が実行したことは、職員への院内感染知識の普及と同時に「無駄な感染対策をやめること」でした。

　その意義は2つ、「看護師の業務負担軽減」と「コスト削減」です。

　コスト削減は、病院管理部門へのアピールにもなります。この無駄を省くという裏には、筆者の戦略がありました。「感染対策はお金がかかる」といわれます。「なんとなく、やったほうが安全だから」と、何でもかんでも感染対策をやろうとすると、当然費用が増大します。そこで、「無駄を省いてコストを削減し、病院管理者が理解を示してくれたところで、感染対策に必要な防護具等を導入していく」というのが狙いでした。

　無駄な対策を洗い出したところ、各部署における器具や鋼製小物の消毒がありました。当時、患者に使用した器具を、洗浄せずに消毒剤

第3部 看護管理者としての交渉実例 ～筆者の場合～

に浸漬する方法が行われていました。エビデンスがないどころか、洗浄をしないで消毒するのは、全く消毒効果がありません。効率性と安全かつ正確性を目的に、洗浄・消毒は中央材料室での一本化へと改善しました。器具の消毒剤の浸漬をやめたことで、年間約240万円もの薬剤費用が削減できました。そのほか、小さなことでも、「意味のない感染対策はやらない」方針でコツコツと活動をし、相当額のコスト削減ができたのです。

　Step3では、いよいよ交渉戦略アプローチであり、病院内の感染管理体制の組織化です。

　当時、当院には「院内感染対策委員会（ICC）」と「院内感染対策諮問委員会」と2つありましたが、形式的な委員会にとどまっていました。そこで、機動的な活動ができる委員会が必須であると考えました。早速、「2003年度から、新たな感染管理組織を設立したい」と病院長に切望しました。

　筆者が考える組織化とは、ICCのもとに、病院長ライン下の「インフェクションコントロールチーム（ICT）」と現場の実働部隊である「リンクナース会」です。

　ありがたいことに、病院長は無駄な感染対策を廃止している筆者の活動を承認してくれていましたので、「それはいいことですね」と賛同を得ました。

　しかし、私の戦略はここで終わりではありません。誰を組織に巻き込むかが、管理統制組織として機能するかどうかの勝負の分かれ道です。したがって、ICTのメンバーには、意欲があり仲間として頑張れる人を人選させていただきました。すなわちリンクナース会のメンバーは、「各部署で指導的立場にある人」として、約半分が主任という構成にしました。当時の看護部は、まだ専門家集団としての組織はありませんでしたので、設立する以上は成功させなければなりません。病院幹部の会議ですべて承認され、筆者は「やったぁ～」と心を

躍らせたのを覚えています。

　上司もリンクナース会議に出席し、「こんな元気のある会議は院内で始めて」と賞賛してくださいました。自分が楽しんで感染の業務に当たっていると、まわりのICTメンバーも協力を惜しまず、モチベーションを高く維持して一緒に活動してくれました。しかし、一人でできることには限界があります。特に、病院組織全体を動かすことは困難です。同じ目標を持つ仲間をつくること、つまり仲間を院内感染させていくことが重要なポイントとなります。

　さらに一つここで申し上げたいのは、研修で学んだものをそのまま院内に取りいれることは、まず困難ということです。取り入れたとしても絵に描いた餅となり、いつか破綻するでしょう。まずは、きちんと現状分析をすること、現場のニーズ、病院のニーズをつかむことが改善への第一歩です。

　顕在ニーズのみではなく、潜在ニーズの掘り起こしも重要です。これらの活動は、まさに病院が望む組織のニーズと、個人の成長が合体した「組織におけるキャリア開発」を、トップダウンではなくボトムアップ的に獲得できた活動ではないだろうかと自負しています。

　とは言っても、組織化がゴールではありません。組織化されても、活動の善し悪しがすべてであり、常に感染対策をモニタリングし、PDCAサイクルを回し管理する必要があります。

　人と人とのつながり、ネットワークのすばらしさを感じたのもこのころでした。感染管理に関する活動は、院内にとどまらず、各県（6県）にまたがる講演会や、海外視察（写真3-1）、某大学病院の医師と数人の看護師で立ち上げた栃木感染制御コンソーティアム（TRICK）、APICK（写真3-2）やAPIC（写真3-3）等の海外での学会発表、雑誌への投稿等、数年前まではとても想像もできないことができたのです。TRICKの組織は、今では100人を超える組織として幅広い活動をしています。

第3部　看護管理者としての交渉実例　〜筆者の場合〜

写真3-1　ジュネーブ大学病院視察（2007）

写真3-2　アジア太平洋病院感染学会2007（APSIC：至クアラルンプール）発表

筆者は向かって右端

　もちろん、研修会を受けただけでは、活動の広がりはありません。そこで出会った講師陣とのつながりと、筆者の院内感染への情熱と、自己研鑽を積んだことが現在につながっています。人脈は、筆者にとって最高の宝物だと痛感しています。「出会いで人生は変わる。出会いで人は成長する」と実感しています。

　研修を受けることのみで、何らかのアクションを起こさなければそ

1. 院内感染対策の改善と組織化へ交渉

写真3-3　米病院感染学会2009（APIC：至フォート・ローダー・ディール）発表

筆者は向かって右から2人目

の知識さえも消え去っていきます。学習をどう生かすかはその人次第なのです。図表3-2の学習のピラミッド（学習定着率）がそれを物語っています。

　また、筆者が変革を起こすことができたのは、「自施設を変えたい」という情熱という力もあったのかもしれません。これらの取り組みを理論に当てはめてみますと、クルト・レヴィンの変革理論に値するのではないかと思います（図表3-3）。レヴィンによると「解凍」はその変化が不可欠であることを認識して、旧来の信念や実践を

第3部　看護管理者としての交渉実例　〜筆者の場合〜

図表3-2　学習のピラミッド（定着率）

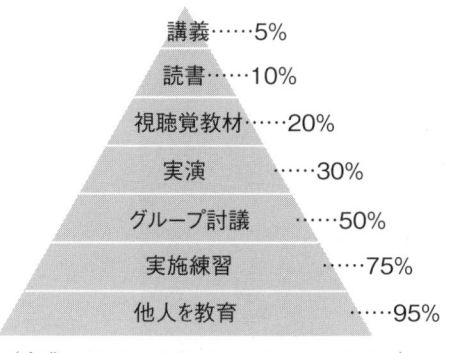

- 講義……5%
- 読書……10%
- 視聴覚教材……20%
- 実演……30%
- グループ討議……50%
- 実施練習……75%
- 他人を教育……95%

（出典：National Trainina Laboratiories）

図表3-3　クルト・レヴィン　変革理論

解凍
組織の構成員に対し新たな変化の必要性を理解させる。

変化
変化への欲求を自覚。新しい行動パターンの獲得。
⋮
強力なリーダーシップを発揮

再凍結
新しい変化を定着化・慣習化する段階。推進力と抑止力のバランスをとって新しい状況を安定。

STEP1　　STEP2　　STEP3

取りのぞいて変化のための準備を整える過程としています。次の段階である「変化」は、変化が生じる過程であり、以前のものの見方やシステムが不要になることで惹きおこされる混乱や苦しみがともなうことがあるとされています。この時期は行きつ戻りつとなりますので、強力なリーダーシップが必要となります。「再凍結」は、新たなものの見方が結晶する過程であり、新しい枠組みのなかでの快適さと恒常

1. 院内感染対策の改善と組織化へ交渉

性の感覚がふたたびあらわれてくる段階として終結となります。

　筆者は、第一段階である「解凍」こそが変革の一番のポイントと考えています。従来からの日常行動、システム、伝統等に慣れた組織の職員に対して新たな変化の必要性を理解させること、つまり均衡状態を崩し、従来からのやり方から決別させ、新たな変化に向けての準備です。この準備がいかに重要であるか、交渉の準備とも共通します。人は納得しないと動きません。個々の意識に訴えること、同じ思いになることが肝要なのです。

　真の最終ゴール、そして最終的に評価するのは患者となります。二次感染を食い止め、患者がいかに安心して治療や看護を受けられるか、そして適切な療養環境を提供できるかです。

　院内感染は幾度も繰り返されますし、さまざまな環境により耐性菌や新種のウイルス等も変化していますので、PDCAを回す感染管理は医療従事者の永遠の課題であると思います。筆者は、感染管理は、管理の原点であり、かつ王道だと思っています。最近では時代とともに感染に関する知識や予防対策の個人スキルは向上し、チーム医療としても機能している病院も増加しています。診療報酬による感染管理加算取得による地域ぐるみの取り組みも盛んになってきているのではないでしょうか。筆者は副院長・看護部長となった現在でも、ずっと何らかのかかわりを持っていきたいと考えています。

2．全職員によるバランスト・スコアカード（BSC）導入への交渉

組織目標達成に向けた全職員での取り組み

　昨今、地域崩壊と医療崩壊が叫ばれている中、医療とサービスの質を向上させながら経営的側面を踏まえたマネジメントが必要になってきています。組織は複数の人が集まり、目的達成のために力を出す場です。したがって、個々の力を合わせた以上の力を発揮するのも組織の特徴であり、力を持った人々がお互いに助け合い、協働する場です。

　当院は2008年度より職員全員が同じ目的に向かって突き進むことなどを目的に、バランスト・スコアカード（BSC）導入準備を開始し、2009年度に全職員を対象にBSCを導入して8年目を迎えました。

　BSCはSWOTによる現状分析後、ミッション・ビジョンに向かって戦略マップを作成し、戦略テーマにそって、「学習と成長の視点」「業務プロセスの視点」「顧客の視点」そして「財務の視点」という4つの視点から戦略目標とアクションプランを考え、取り組むものです。

　当院は、BSC導入の決断をするまで、組織として目的を達成するために、職員がみな同じ方向を向いているとは決していえませんでした。

　病院のミッション、ビジョンがあっても、病院長の年度方針説明会があっても、それらが各部署の目標や、個人行動にまで影響を及ぼすことはありませんでした。つまり、組織が一丸となって目標に進むという、組織風土が醸成されていませんでした。それぞれの職員が、それぞれの思いで頑張っていたにすぎません。社会情勢、医療情勢が日々変化していくなか、筆者は「これで良いのだろうか、このまま何もしないでいれば、生き残れない病院となるのではないか」と危機感

2. 全職員によるバランスト・スコアカード（BSC）導入への交渉

を感じていました。

2004年、筆者がある看護管理研修でBSCのツールを知ったとき、「病院を変えられる」と直感し、この直観力を「単なるひらめき」とは思わず、大切にしています。この直感は問題発見の一つとなり、そして課題解決への初動となります。

棋士の羽生善治氏は、「直観力とは、論理的思考が瞬時に行われるようなもの」と、著書「直観力」[25]で述べています。そして、「もがき、努力したすべての経験をいわば土壌として、そこからある瞬間、生み出されるものが直感なのだ。それがほとんど無意識に行われると、直観が板についてきたといえるだろう」「湧き出た直感を信じることが、初めて有効なものになる」とも書かれています。筆者もそう考えています。

また、その直観力を組織目標達成に活かすためには、リーダーシップが必要と考えます。鈴木義幸氏は「いつの時代でもリーダーたる者が変わらずに持たなければならない要素はあります。変えるべきことを変えることのできる柔軟性と、変えるべきでないことを絶対に変えない一徹さです。その両方を備えてこそ、はじめて人の心を動かすことができるのです」[6]と述べており、筆者はとても共感を得ました。

「あるべき病院の姿」議論のためのツールとしてBSCを活用

当院のBSC導入に至るまでを、第1部で述べた「交渉力の8つの構成要素」を利用して説明します（図表3-4）。

①の『ゴール設定』は、「BSCを、全職員で取り組むこと」であ

第3部 看護管理者としての交渉実例 ～筆者の場合～

図表3－4 交渉の8つの構成要素

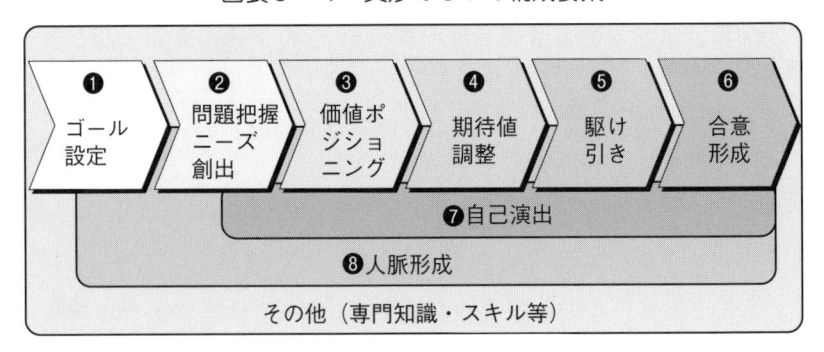

❶ ゴール設定
❷ 問題把握 ニーズ創出
❸ 価値ポジショニング
❹ 期待値調整
❺ 駆け引き
❻ 合意形成
❼ 自己演出
❽ 人脈形成
その他（専門知識・スキル等）

出典：経済産業省

り、その先のミッションは、あるべき当院の姿として、一定の成果をなすことです。そして、当院のBSC導入の目的は大きく2つ、「病院の方針を全職員に浸透し、組織目標達成に向けて職員の意識の高揚を図る」「職種間のコミュニケーションを活性化し、組織強化につなげる」ことです。

次は②の『問題点の把握』と『ニーズ創出』です。交渉成立のためには、交渉に必要な情報を収集・活用し、交渉すべき問題点を明らかにする必要があります。

そもそも問題の本質は何か、解決できる問題なのか、誰と交渉すれば解決できるのかを明確にする必要があります。

当院は、人口約10万人の栃木県鹿沼市にある唯一のいわゆる総合病院です。地域住民から信頼され、地域に密着した医療を提供するための地域中核病院という使命があります。しかし年々、外来・入院患者数が減少していることから、病院経営を真剣に考えなければならない状況となり、戦略的マネジメントによる変革が必要となってきていました。

この現状を、職員はどうとらえていたでしょうか。将来性を考えたときには、少なからず危機感を感じ始めていた時期であったと思いま

2．全職員によるバランスト・スコアカード（BSC）導入への交渉

す。

しかし、何をするべきか明確になっていないこと、明確だと仮定してもそれぞれの心のうちにしかなく、職員同士で「あるべき病院の姿」について話し合う場もありませんでした。すなわち、職員自身の潜在能力を引き出せていないこと、組織間で協力しあう風土や団結力が眠っている状態にありました。

したがって、その仕組みをつくることが重要であり、そのツールとして筆者はBSCを選択したわけです。

当初はまだ管理師長（現　副院長兼看護部長）という立場であり、その選択が、病院幹部に受け入れられるか、職員一人ひとりがBSCを導入することに抵抗を示さないかという不安もありましたが、まずは「動機づけ」のための意識改革ができればBSCは運用できると確信し、シナリオを考えました。

次に、③『価値ポジショニング』、④『期待値調整』、⑤『駆け引き』、⑥『合意形成』、⑦『自己演出』、⑧『人脈形成』までのプロセス全体を、シナリオ作成と実践としてまとめて説明します。

第一段階のゴールである、全員野球、全員BSC実施に向けてのシナリオです。

1．BSC導入準備期
　1）BSCに関しての自己学習
　2）BSC導入に向けての病院管理者の理解
　　　・事務部長の同意
　　　・病院長の同意と全職員に対してキックオフ宣言
　3）BSC導入にむけての、幹となるBSC委員会の組織化
　4）BSC委員による長期計画、短期計画とBSCの学習
　5）BSCを理解し作成するための、病院各部門の役職者（主任、係長以上）研修

第3部　看護管理者としての交渉実例　〜筆者の場合〜

2．当院 BSC 作成期
　　1）病院管理部門にて BSC を作成
　　2）BSC による病院長方針説明
　　3）各部門、各部署の BSC 作成
3．BSC 運用期
　　1）BSC 作成後の病院長、各部門長によるヒアリング（計画妥当性の検討）
　　2）BSC 作成発表会
　　3）BSC 成果発表会（予選会を経て決戦大会へ、表彰制度あり）
　　4）BSC 作成研修会（年に1回、スタッフ対象）

シナリオから実践へ
〜日本医療バランスト・スコアカード研究学会学会長との出会い

1．BSC 導入準備期

　②の『問題点の把握』と『ニーズ創出』でもふれましたが、当院の状況として、患者数は年々減少し、経営が逼迫しつつあることから、何らかの対策が必要となってきていました。また、病院経営の低迷は、やがては職員の働く意欲も低下し、離職の原因ともなりかねないと考え、経営、患者サービス、職員満足度を向上させるためにも何らかの対策が必要でした。

　2004年の看護管理研修後に、事務部長に BSC 導入の必要性を説明し交渉しましたが、筆者自身 BSC 自体の理解が不十分であり、事務部長を動かすことはできませんでした。

　そこで、最初に取り組んだのは、自己学習です。BSC とは何なのか、研修では概要のみの講義でしたので、BSC に関する本を数冊購入し、勉強しました。しかし、実際のところ、本を読んだだけでは、BSC について具体的なスキルまでは理解できませんでした。

2．全職員によるバランスト・スコアカード（BSC）導入への交渉

　理解を深めるため、インターネットで検索し、BSC のセミナーを紹介してほしいと、某 S 会社に個人的にメールを入れるというアクションを起こしました。そのメール 1 本が、筆者の人生と病院を大きく変えるきっかけになりました。

　S 会社の担当の方が、研修の案内ではなく、日本医療バランスト・スコアカード研究学会の学会長をご紹介くだったのです。驚きは隠せませんでしたが、大変ありがたく、病院を変える最大の「チャンス」としてとらえました。そのチャンスをどう生かすか、私の直観力が働きました。事務部長を巻き込み、学会長にお会いして BSC の話をうかがうことで、事務部長自らにやる気になってもらいたいという思いです。

　事務部長を動かせれば、2人で病院長を説得できると確信していました。数週間後、事務部長と筆者で学会長を訪問しました。やはり、BSC の本家本元である専門家からお話が聞けたということが最大の刺激と収穫となって、事務部長が当院に BSC を導入しようという動機づけとなりました。

　次に、病院長との交渉です。事務部長と、BSC 導入の意義、組織化について説明にいきました。BSC を始めるには、トップの理解とリーダーシップは欠かせません。一方で BSC は究極のトップダウン戦略という考え方もありますが、筆者は病院方針に向かうためのボトムアップは自由性が高く、モチベーションの維持・向上につながると考えました。病院長から、「皆がやる気があればいいんじゃないですか、応援します」と賛同をいただきました。やっと大きな山を越え、スタートラインに立つことができました。後はシナリオどおりに進めるだけです。

　2008年5月に併設の老人福祉施設を含む全部門の13人のメンバーを選出（写真3－4）し、うち5人が、千葉県で行われる2日間のBSC ワークショップに参加しました。しかし、2日間の研修で職員

写真3-4　BSC委員会
（2008年5月）

写真3-5　BSC作成合宿
（2009年1月）

に指導できるレベルに達したわけではなく、5人だけがBSCを理解していても、病院全体への浸透は不可能です。そこで、BSC学会長を当院にお呼びして、病院管理者、BSC委員の勉強会や全体講演会を開催しました。同日、病院長から全職員に向け、BSCキックオフ宣言をしています。

　BSCを導入するうえで重要なのは、中間管理者がBSCのスキルをきちんとマスターすることです。中間管理者がBSCの計画と実践の中心となるからです。そこで、病院管理者と中間管理者（主任・係長以上）の「BSC作成合宿」を企画しました。「合宿」としたことも、意味があります。大型バスで移動し、約80Km離れた場所での合宿の意義は、「自宅に帰れない」を条件とし、「日常の環境とは異なり、一体感を生むこと、親睦を深めること」にありました（写真3-5）。これも筆者の戦略です。

　ある職員は「拉致されたみたい」と冗談をいいつつも、90人を超える参加者が、当院の課題や将来について話し合う機会はそれまでありませんでしたから、想像以上の成果がありました。特に、他部門の職員との交流は、意外と情報を知らないことに気づかされました。専門家11人のファシリテーションを直接受けながらのBSC作成研修は、多くの職員が達成感を感じました（図表3-5）。

2．全職員によるバランスト・スコアカード（BSC）導入への交渉

図表3-5：BSC作成合宿参加者アンケートより

BSC合宿・BSCに関する意見・感想
◆BSCが作成でき、達成感が得られた。
◆今まで役職者全員の参加機会がなかったので、話し合えて良かった。
◆他部署と一緒に考え意見交換できよかった。みんなの真剣さがすごい。
◆部署間によるチームワークと病院経営向上のための一つの目標ができた。
◆BSCは経営の安定や医療の質の向上に役立つことがわかり有意義だった。
◆自分のモチベーションが上がった。
◆BSCの視点が興味深く、実際の現場で早く作ってやってみたい。
◆講演会だけでは理解できなかったが今回の合宿で理解できた。
◆研修終了後も他部署の人たちと様々な話し合いができ、元気になった。

2．当院BSC作成期

　BSC作成合宿から2週後の日曜日、作成スキルを学んだ病院幹部4人と、参加できなかった2人により、当院管理部門のBSCを作成しました。不参加の幹部を含めて全員に筆者がつたない講義をしましたが、理解と賛同を得ることができ、2009年度の病院方針を、BSCというツールで初めて形にできました。病院長のBSCによる年度方針説明後、各部門で、戦略マップ、スコアカードを作成していきました。

　しかし、BSC作成スキルは理解しても、自分の部署はどう立案すべきか、アクションプランをどうするか、ずいぶん悩んだ記憶があります。ここで重要なのが、「やらされ感」をなくすことです。人の内側からわき出てくる動機づけ、つまり内発的動機づけによって積極的に行動するようにしなければなりません。

　「目標」が、魅力的であればあるほど、組織への貢献に対するモチベーションが発揮されます。また、その目標が達成できれば、さらにモチベーションは上がると確信し、現実に即したBSCを作成しようと努力しました。しかし、最初から完璧なBSCができるわけはな

く、PDCA を回しながら年々良いものを目指そうと考えました。

3．BSC 運用期

運用の仕組みを図表3－6に示します。

BSC は、トップ自らが BSC 導入に関して積極的に関与し、先導を与えることが重要です。したがって、各部署で作成した BSC をもとに、病院長が直接ヒアリングを行い（看護部は看護部長がヒアリング）、アクションプランの確認と承認を行うことにしました。

BSC 推進のためには、BSC を手法として十分理解している人材育成がポイントとなります。BSC 委員会のメンバーをファシリテーターとし、スタッフを対象に毎年研修会を行っています。その目的は、病院に BSC を根付かせることです。

委員である BSC 推進者は、「BSC は、当院にとっての変革のために今最も必要である」という信念を持って BSC を推進する、いわば

図表3－6　当院の BSC 年度運用

	全体	部門・部署	個人
3月	BSC 決戦大会 次年度方針（病院長）	各部門・各部署 スコアカード、 アクションプラン作成	私の目標シート 1年間のまとめ
4月			私の目標シート 年度初期作成
5月	初期ヒアリング 　部門長・病院長	ヒアリング ・部門長・病院長 ・部下	上司と面接
9月		中間評価	中間評価
10月	中間評価ヒアリング 部門長・病院長	ヒアリング	上司と面接
2月	次年度計画 （管理会議で決定）	成果発表予選会	私の目標シート まとめ

2. 全職員によるバランスト・スコアカード（BSC）導入への交渉

「伝道師」の機能を果たしていかなければなりません。

　BSCは現状と理想のギャップをはっきりさせ、それをどう乗り越えるかを職員が全員で考え、皆で解決して、皆で実現するための手段です。すなわち、個人個人もBSCに参加しなければ改善はあり得ません。

　筆者は、「私の目標シート」を考案し、BSCと同じ方向づけをできるように、カスケードの仕組みをつくりました。看護部は、今年からキャリ支援も視野に入れ改変したシートを（図表3-7）に提示します。個人の目標はBSCの戦略というよりも、目標管理として活用しています。このシートを用い、上司が、年間3回の面接で、評価・修正をしています。約340人の看護部職員全員の目標シートは、筆者も目をとおすようにしています。

　2月には、すべての部門・部署・チームが参加し、1日5部署を、6日間に分けてBSC成果発表会（予選会）を行っています。そのうち、各グループの優勝部署が決戦に臨みます。3月に「BSC決戦大会」と称して、年度の取り組みの努力を評価して順位をつけ、上位3チームには報奨金が出ます。病院長の理解もあり、モチベーションのアップを目的に実現しています（写真3-6）。

　しかし、BSCの計画・実践は、それぞれの部署でまったく負担になっていないとはいえません。本来の業務以外でも、時間も労力もかかりますので、職員一人ひとり、初志貫徹でよく頑張ってくれていると感謝しています。

　BSCの定着により、職員はBSCが職場の活性化につながるという意識も高くなり、人材育成とキャリア開発の促進に連動できると確信しています。BSC活用の動機づけができた職員は、意識の変化とともに目標行動がとれるようになり、組織活性化が実現できました。今、省察すると、BSC導入にむけて病院全体を動かすことができたのは、やはり幾度にもわたる統合型交渉があったからです。また、導

第3部　看護管理者としての交渉実例　～筆者の場合～

図表3－7　私の目標シート

私の目標管理シート（看護部）

部署（　　　）

作成日：　　　月　　　日　　20　　　年度

看護部方針
『患者さんの立場を尊重し、より良いパートナーシップを築くとともに信頼される病院をめざします。
1. 患者様による患者満足度・職員満足度の向上に努め、病院の健全経営にも積極的に参画します。
2. 組織強化をします。
3. 他部門との連携、チーム活動へと連動して、在宅支援、地域連携強化を図ります。

氏名（　　　　　　　　　　　）

現在の課題	長期目標（キャリア開発目標）	今年度目標（学習と成長の視点）	ラダーレベル（　）
具体的行動計画	目標に向かって、いつ、何を、どうするか（鉛筆書きで）※面接後に修正可	ラダー研修受講予定	1. 2. 3. 4.
		ラダー外院内研修受講予定	1. 2. 3. 4. 5.
		院外研修受講予定	1. 2.
初期面接（　/　）	初期面接で感じたこと	師長コメント	
中間面接（　/　）	自己評価達成度（　）	師長コメント	
期末面接（　/　）	自己評価達成度（　）	師長コメント	
今後の課題			

【達成度評価】
5：できた　4：大体できた　3：半分程度できた
2：あまりできなかった　1：できなかった

158

2. 全職員によるバランスト・スコアカード（BSC）導入への交渉

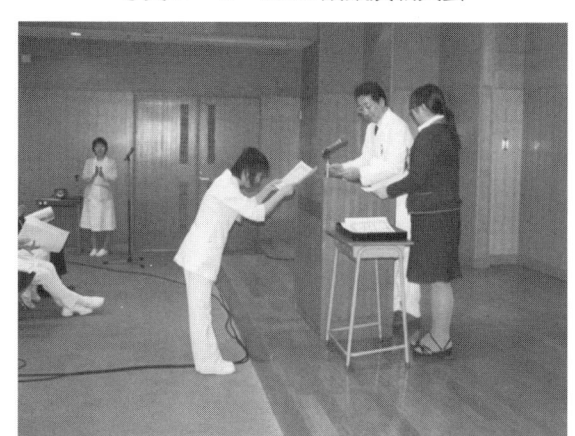

写真3-6　BSC成果決戦大会

き出してくれた人脈と、職員の信頼関係が大きかったといえます。

人は、小さな達成の積み重ねで自信を育んでいき、結果それが「成功」へとつながっていくものといわれています。

今後、各部署、個人においては、アクションプランの達成を積み重ねて、次のステップに進んでいくことを期待したいと思います。

残念ながら、医師の参加が困難なことで、BSCの財務の視点に結びつかない課題が残ります。そこで、2010年度から院内感染対策チームや退院支援チーム等、医師をトップとするチーム医療にBSCを戦略として活用しました。このチーム医療のBSCは、実に目を見張るものがあり、多職種が組織目標達成のために素晴らしい動きをしていますし、診療報酬にも反映できています。

しかし、まだまだ成果として安定できない財務の視点においては、医師の確保と患者数の増加が最大の課題であり、何らかの戦略と実行が必要です。また、地域住民や患者等の顧客、そして職員満足につながるよう、顧客ニーズに沿った戦略や接遇の強化、やりがいがあり働きやすい職場環境等々が課題と考えます。

第3部 看護管理者としての交渉実例 ～筆者の場合～

3．看護部長として、看護職一人ひとりへのかかわりと交渉

ポジティブな気持ちで人事異動するために看護職に想いを伝えること

　管理監督者の3大業務は、業績の管理、人の管理、変化対応の管理を、楠田丘氏・斎藤清一氏[43]はあげています。そのなかでも、筆者は人の管理が最も困難、かつ重要であると考えます。すなわち、管理者として基本となる人的環境整備に力を注ぐべきです。看護部長には、その取り組みの一環として「人事異動」があります。

　人事異動とは、組織の中で職員の配置・地位や勤務状態を変えることです。Wikipediaによると、「定期的または随時、組織内の年齢的・地位的アンバランスを解消するために、組織を構成する職員を適切な位置に配置し直すことが必要になる。同一職場への在籍があまりにも長いと、作業や業務のマンネリ化・後進育成の停滞・取引先との癒着・何らかの権限の独占による私的流用といった問題が起こるため、人事異動にはこうした事態を予防・回避する目的もある。また、職場によってはその業務が肉体面・精神面において極端にハードである場合、数年単位で人を入れ替えるという用途もある」と書かれています。

　しかし、住み慣れた部署と人間関係から離れた新天地での勤務は、だれしもが不安を感じ、なかなか異動を受け入れられずに、不満を抱える人も少なくないはずです。

　人事異動も、一種の交渉です。

　図表3-8に「交渉ゴール設定シート」として、当院の人事異動の課題をポジィテブに展開していくシートとして示します。

　当院看護部は、春と秋の2回の恒例となる人事異動が長い歴史を刻

3．看護部長として、看護職一人ひとりへのかかわりと交渉

図表3-8　看護部人事異動　交渉ゴール設定シート

①自分、人事異動で困ること
異動希望者が少ない
部署による人材較差

③この交渉の落ち着き先（一次ゴール）
人事異動目的の明確化と理解

②看護職、人事異動の考え
慣れた部署から離れたくない。異動者は問題ありの風潮があった。

④自分が本来実現したいこと、目標
組織目標と個人目標の実現
部署の最適化
個人のキャリアマネジメント

⑤本来の目標に対し看護職ができること
組織目標を踏まえた、主体的な自己申告
・キャリアデザインの明確化（自己実現の欲求）
・自身のワーク・ライフ・バランス実現のためのニーズ

⑦看護職の本来の目標に対し、自分ができること
キャリア開発支援
業務量に応じた適正な人員配置

⑥看護職が本来実現したいこと、目標
キャリア開発
ワーク・ライフ・バランス実現による勤務の継続
友好な人間関係

⑧【　＝③+⑤+⑦】より、創造的な、この交渉のゴール（最終ゴール）
・フェースシートを活用しての、看護職キャリアデザインの主体的な自己申告
・個人のキャリアを考慮した、部署全体最適のための管理者との面接の実施
・異動者への、承認メッセージと、今後のキャリア開発への期待を手紙に託す

シートのみ　出典：経済産業省

んでいます。筆者は、自己のキャリア開発とともに、職場に貢献、参画する意味でも、可能な限り個人の希望を取り入れたいという思いがあります。

　しかし、看護部長となり筆者の体験から過去を振り返ると、看護部長に就任当時、必ずしも異動希望を前向きにとらえてくれる看護職ばかりではありませんでした。慣れた部署を離れることに抵抗を示す人のほうが多いからです。

第3部　看護管理者としての交渉実例　～筆者の場合～

したがって、異動するのは「何か問題があった人？」というような風潮がありました。このため、異動希望者は少なく、退職者が出た後の調整がやっとという状況がありました。

その風潮を払拭したいと強く感じたのは、看護部長になり、2回目の人事異動からです。

③の交渉の一次ゴールとして、人事異動目的の明確化と理解が重要と認識しました。その1つに、「現部署で3年以上経験を積んだ看護職は、異動部署希望を必ず記載すること」と条件を提示しました。また、現部署で働きたいスタッフは、何を極めるために残りたいのかを明確化し、フェースシートに記載してもらいました。

このフェースシートは、看護部長が個人の取り組みや思いを知るためのシートで、個人が異動希望部署を3部署まで書きこめるものです。それでも、「現部署希望、仕事に慣れているから」と書くスタッフも少なくありません。それでも徐々に、異動は特別なものではなく、次は自分が異動かもしれないという、意識付けは定着していきました。

④の自分が人事異動で本来実現したいことや目標は、組織目標と個人目標の実現と部署の最適化、個人のキャリアマネジメントにあると思います。

そして⑤の、看護部人事異動の目標に対し、看護職ができることとして、自分の考えを整理して「組織目標を踏まえた、主体的な自己申告」をすることは、重要なポイントとなります。申告内容として、自己実現欲求のためのキャリアデザインの明確化、自身のワーク・ライフ・バランス（WLB）実現のためのニーズ等があがります。

この自己申告のサインがいい加減であると、筆者には何も伝わってきません。

⑦の看護職の本来の目標に対し、自分ができることは、キャリア開発支援であると考えており、そのためには本人の主体性が重要です。

3．看護部長として、看護職一人ひとりへのかかわりと交渉

⑧の最終的なゴールとして、以下の3点をあげました。
・フェースシートを活用しての、看護職キャリアデザインの主体的な自己申告
・個人のキャリアマネジメントを考慮した、部署を全体最適にするための管理者との面接の実施
・異動者への、承認メッセージと、今後のキャリア開発への期待を手紙に託す

個人のフェースシートのほかに、部署の管理者との面接も重要です。部署の管理者は、自部署の目標をどこにおいているのか、また最適をどう考えているのか、人材マネジメントをどうとらえているのか等を確認します。自部署の最適を全体最適に展開できるようにするためです。

しかし、人事異動は全体最適も当然ですが、やはり第一に個人の能力開発・人材育成を優先的に考えています。

これからの人事管理は、下からのやる気を促す動機づけを中心としたマネジメントが重要です。

スタッフ自身が異動をどうとらえるかは別にして、筆者は「本気」で人事異動に取り組んでいます。「このスタッフは、何を得意としているのか、さらにどのようなスキルを伸ばすとキャリアアップとなるのか」と、真剣に考えています。この思い・本気を、異動のスタッフ一人ひとりにお手紙として渡しています。

異動者は、少ないときでも約20人、病棟再編などの際には、60人近くになります。「なぜ手紙？」と思う方もいるかもしれません。私自身がスタッフだった時代に、「どうして自分が異動になったのか、看護部長は自分をどうとらえているのか」がわからなかったこともあり、異動に対して不満

第3部　看護管理者としての交渉実例　～筆者の場合～

に思ったこともありました。異動がいやなのではなく、異動の理由がわからないことに納得できなかったのです。「まだまだやりたいことがあったのに」と涙したこともありました。

　人は、「働く意味」や「働く価値」を見出せなくなると、モチベーションは下がり、気持ちが入らずに仕事をこなすだけ、あるいは退職を考えることもあります。上司は、一人ひとりをしっかりと承認することが重要です。もちろん、いちばん身近にいる師長や主任がタイミングよく承認してあげることがいちばんでしょう。

　筆者は、その師長・主任を承認し、スタッフにまで思いが通じてほしいといつも思っています。だからこそ、人事異動発表時、一人ひとりには、想いをこめて文章にしています。

　個人が記載するフェースシートと、筆者から異動者への手紙は、2者間を結ぶWin-Win型交渉の材料として活用されるわけです。その手紙を読んで、「部長は、ここまで自分のことをわかってくれていたんだ」と、目に涙をためた職員がいるとも聞いています。とはいえ、異動すること自体、受けとめができるのはしばらく経過してからの方が多いと思います。

　変化にすぐに対応できないのは、当たり前のことです。しかし、人事異動は人と巡り合う機会であり、人との出会いが成長のきっかけとなるチャンスになるのではないでしょうか。筆者はスタッフが成長できると信じて、プラス思考の人事異動を自ら楽しんでいきたいと思います。

4．管理者（師長・主任）育成のための管理実践に寄り添う目標面接と交渉

現場の活性化、組織目標達成の要は看護管理者

　看護管理者の任務の最重要課題は、対象者に最良の医療・看護を提供することにあると考えます。すなわち、看護職の質向上のためのマネジメントにあります。そのために看護管理者は、さまざまな環境変化に対応し先見性をもってマネジメントをする必要があります。

　師長・主任の立場にある看護管理者の顧客は患者・家族と部下（看護職）にあり、現場のマネジメントをするうえで師長・主任の役割は非常に大きく、能力向上や変革までも求められています。その師長・主任を育成、支援する役割は、看護部長です。看護部長自らが、より質の高い人材育成に努めなければなりません。それらを達成するための方法として、看護管理者一人ひとりとかかわる目標面接を行う必要があると考えます。

　目標面接で部下とのコミュニケーションをどう作っていくかが看護管理者に求められる重要な能力の一つとなります。また、面接という特別の場面だけではなく、常日頃から部下の話をきちんと聴くこと、部下を尊重する姿勢が大切であり、信頼関係を構築しておくことにより、効率的・効果的な目標面接に繋がると考えます。目標面接は、部下の働き甲斐を高め、意欲を高揚させ、チャレンジ目標に向かって達成していくことが目的であり、ひいては活気のある職場風土にもつながります。

　ここで筆者が考案した「看護管理者（師長・主任）一人ひとりとのかかわりを重要視した目標管理」の方法を紹介したいと思います。筆者が看護部長に就任したのは、2009年4月です。看護管理者のそれまでの目標管理は、1年間の個人計画を4月に提出し、年度末の3月に

第3部　看護管理者としての交渉実例　～筆者の場合～

は報告書として提出するという形式でした。ただし、上司との面接もなく、計画の実践ができてもできなくても報告書としてまとめることのみが課題でした。看護管理者同士の情報共有も評価もありませんでした。「これでいいのだろうか」ととても疑問に思っていました。そこでひらめいたのが、認定看護管理者セカンドレベル教育プログラムにある「総合演習」の活用でした。総合演習は、看護管理の実践能力の向上を目指すことを目的とし、自部署について分析に基づいた実践可能な改善計画を立案する学習です。

　筆者には目標面接も机上の空論であってはならない、患者・家族・そして部下育成の現場に即した実践計画に関わりたいという熱い思いがあります。ゆえに当院の看護管理者にも総合演習のような展開を行うことで、筆者が一人ひとりを支援しようと決意したわけです。そこで、師長・主任は4月初旬に「実践計画書」に記載し、2月には「実践報告書」として論文形式でまとめ、提出する方法に切り替えました

図表3－9　師長・主任　実践計画書　実践報告書

| （　）年度師長・主任実践計画書
テーマ「　　」
　　　　　部署　氏名
目的
意義
計画（いつ、誰が、何を、どのように）

期待される効果

評価方法 | （　）年度師長・主任実践計画書
テーマ「　　」
　　　　　部署　氏名
はじめに
（計画書の目的・意義より）
実施内容
（いつ、誰が、何を、どのように行ったか）

考察
（実践できた理由、できない理由）
（評価を含む）

まとめ
参考文献 |

4．管理者（師長・主任）育成のための管理実践に寄り添う目標面接と交渉

（図表3-9）。

　ここで筆者が最も重要と考えるのが、実践計画書立案時の初期目標面接です。その理由は、一人ひとりが自部署や自分の役割をどうとらえ、分析し、実践計画を立案したかが手に取るようにわかり、そこに病院のビジョン、看護部方針を加味して再考し、行うべきことを可視化できるからです。

　楠田丘氏・斎藤清一氏は、「労務管理は、今期の目標を設定する目標面接、その達成度を評価する成績評価、そしてその結果をフィードバックしての部下育成からなる。それが加点主義なものであることこそが人事・労務を活力あるものとします。まさに、加点主義の整備と確立こそがこれからの人事の最大の焦点となる」と述べており[43]、筆者も同感しています。

　さらに、目標面接で重要なのは、「①自らが行う目標づくりであること、②本人による自己統制であること、③チャレンジを目標設定の最重点事項とすることが重要であるとも述べています。筆者は、この「①自らが行う目標づくり」には、部下の能力や成熟度に合わせた上司の支援が必要であると考えます。なぜなら現状分析なくして目標は立案できませんから、現状をどうとらえ何を課題とするのかを目標面接の中で明らかにする必要があります。

　課題を明らかにすることができたら、自由な発想でチャレンジングな目標や実践計画を立案してもらいます。「何がやりたいのか」を引き出すことが重要であり、それが引き出せれば目標面接は7割達成です。実践計画においては、個人のみの目標のみにとどまらず、部下との関わりやキャリア支援をどうしていくかということまで入れることを必須としています。

　計画書は、「期限を明らかにすること、具体的であること、測定可能な指標を入れること、達成可能なストレッチゴールにすること、組織の目標に即していること」として立案します。

第3部　看護管理者としての交渉実例　〜筆者の場合〜

　筆者はこの面接をおおよそ30分で行っています。目標面接は、なかなか30分では終わらないという方もいるでしょう。すべてはタイムマネジメントです。常日頃から部下とコミュニケーションをとっていれば特別な時間は必要としません。部下が悩んでいる時に行うのは目標面接ではなく、ニーズに応じて必要なときに行うべきでしょう。繰り返しになりますが、目標面接は「看護管理者として何を課題とし、何をやりたいと思っているか」を引き出すことです。筆者はこの初期の目標面接を看護部長の任務として最も意義のあるものと感じ、この醍醐味を楽しんでします。

　この初期目標面接では必ず手直しを入れますが、面接で決めたチャレンジングなストレッチ目標に師長・主任は「すっきりしました。頑張ります」ときらきらと目を輝かせて部長室を後にします。合意に至った計画にそって看護管理者が取り組んでいる期間中や9月の中間面接では、実践状況を確認し追加・修正していきます。翌年2月には実践報告書の論文を各自に提出してもらいます。

　1年間の集大成を論文としてまとめることは、看護管理者としての自分の実践を振り返ること、同時に文章能力向上の機会としたいという目的があります。年度末の忙しい時期に本当に大変であろうと察します。ですが、誰一人として期限が守れない看護管理者はいなくなりました。

　2月の期末面接は、この論文提出前になることが多く、面接の会話の中で確認を行っています。最終的には、師長・主任の実践内容と論文に関することを個人評価表としてまとめ、フィードバックしています。

　しかし、このフローでは、看護管理者間の情報共有がありません。筆者は、看護管理者同士、お互いがどのように取り組んでいるのかを知ることはその後の活動を考えるにあたっても非常に参考になるのではないかと考え、2011年度から年度末に師長会・主任会の場を利用し

4. 管理者（師長・主任）育成のための管理実践に寄り添う目標面接と交渉

写真3-7

　て実践報告会を行いました。しかし当時は紙ベースの報告会でしたからから今一つインパクトにかけると感じ、2013年度からパワーポイントによるプレゼンテーション報告会に切り替えました（写真3-7）。

　実践報告会は、約3時間を2回に分けて行っています。もちろん、師長・主任は全員参加です。プレゼンテーションは、一人3分間の時間厳守で行います。たった3分間で、いかに要点を得てプレゼンテーションできるか、言いたいことが伝わるか、これも管理者の能力には必要な要素であると筆者は考えました。当初は、報告中に終了のベルが鳴ってしまうものが12〜13人程度いましたが、2015年度はほとんどがタイムマネジメントできるようになりました。また、発表のみで終了するよりも報告後の師長・主任同士の討議がとても重要であると考え、議論には十分な時間を割いています。

　参加者からは、「実践報告としてまとめることにより振り返りとなり、課題も見いだせる」「師長・主任それぞれの取り組みがわかり、情報の共有が図れる」「発表会自体が学習の機会として大きな位置を占め、今後の実践に結び付けられる」「目標を持ち実践そして発表することは各自のモチベーションが向上し有意義である」等の非常に前向きな意見や感想が多く聞かれた。中には「実践結果が成果として表れてきており、感動した」との頼もしい意見がありました。企画側と

第3部　看護管理者としての交渉実例　〜筆者の場合〜

して、こんなにうれしい評価はありません。

　これら目標面接、目標管理の仕組みの意義は、①看護管理者の動機づけから自己啓発へと結びつくこと②看護管理者としてやりたいこと、やるべきことの整合性を可視化し実践することにより、組織や人を動かす能力が身につき、キャリアアップにつながること③看護管理者がチャレンジングなストレッチ目標に向かって努力し成果を得ることは、ボトムアップとして組織が活性化することにあります。松田憲二氏は「自己啓発による自己開発こそ、能力開発の大前提である」と提言しています[2]。筆者は自己啓発ができるような関わりを持つことがとても重要であり、目標面接の極意と考えます。

おわりに

　どのような優秀な人材でも、学べる環境がなければ人は成長しません。カール・レウィンは、「人間の行動は、単に本人の能力、性格のみならず、その職場の醸成する職場風土によって大きく影響を受ける」と述べています。
　「郷に入れば郷に従え」ということわざは、「その環境に入ったならば、そこでの習慣ややり方に従うのが賢い生き方」という意味ですが、素晴らしい才能、スキルを持ったスタッフも、良くも悪くも郷に従ってしまいます。
　スタッフが成長できるような環境を整えるのは、看護管理者の仕事です。看護管理者である皆さんには、チームメンバーがお互い協力し合える職場風土づくりをしていただきたい。手と足になって業務を手伝うよりも、業務改善により働きやすい場所を作るために交渉するのが、管理者の本来の役割です。ときには、思い切った改革のために、他部門との交渉が必要でしょう。管理者はそれだけ重要なポストです。働きやすい職場は、質の高い看護を提供するための原点です。
　看護部長、副部長、師長、主任という看護管理者が一丸となって、患者さん・ご家族、そして職員も満足できるよい病院をつくっていきたいものです。
　繰り返しになりますが、統合型交渉を目指し、交渉力がアップすれば、看護部も病院も変えられると確信しています。筆者自身は、「困難にあたるほど、解決すべく燃える」性質を持っています。そのためのパワーは、人一倍持ち合わせているつもりです。なぜなら、仕事がとても楽しくてしかたないから…。皆さんも「ピンチは、現状を打破するためのチャンス」として、交渉力を磨き、頑張っていきましょう。

筆者自身、今があるのは、常日頃から看護師が当院をしっかり支えてくれているからと、心から感謝の気持ちでいっぱいです。当院の看護師は、辛いこと、悲しいことがあっても、仲間で支え合おうという帰属意識が高いと、自画自賛しています。当院の「かかりたい、働きたい、こんな病院ナンバーワンをめざす」のビジョン考案者の筆者は、いつまでもいつまでも達成に向かって努力したいと思っています。また、筆者が一番重要と考えるのは、一歩先を見据えたチャレンジ精神、情熱、そして自分自身が看護管理を楽しんでいることです。相田みつをさんの、「一生勉強、一生青春」という言葉が筆者は大好きです。タイムマネジメント、時は金なり、これからの人生の「時間」を大事にして、看護管理者と共にまだまだ成長し続けたいと考えます。

　この本は、看護管理者として交渉力を必要とされている皆さんの現場で、さまざまな問題が起きているとき、ふと立ち止まって内省するときに、ご活用ください。少しだけでも皆さんのお役にたてれば幸いです。

　最後に、私に本書を書くチャンスと、多くの示唆を与えてくださいました、産労総合研究所の小林正明さんに心から感謝いたします。

2017年11月　齋藤由利子

【引用・参考文献】

1) 沼上　幹：組織戦略の考え方、ちくま書房、2008.8.20
2) 松田憲二：管理者の基礎テキスト、日本能率協会マネジメントセンター、2008.6.10
3) 山根孝一：10分の面談で部下を伸ばす方法、アニモ出版、2013.8.8
4) P.F. ドラッカー：現代の経営（上）、ダイヤモンド社、1996.1.19、P21、P.139
5) P.F. ドラッカー：現代の経営（下）、ダイヤモンド社、1996.2.16
6) 鈴木義幸：心を動かすリーダーシップ、日本実業出版社、2004.3.10、P6
7) 谷原　誠：戦略的交渉術の極意、宝島社、2010.9.24
8) 田村次朗他：交渉学入門、日本経済新聞出版社、2010.3.19
9) 藤田忠：交渉ハンドブック、東洋経済新報社、2003.9.4
10) 渡辺徹：実践交渉力講座（看護管理）、医学書院、2011.1-12
11) 交渉アナリスト養成講座2級1-3　NPO法人、日本交渉協会
12) フィッシャー＆ユーリー：ハーバード流交渉術、知的生き方文庫、2004.12.20、P30～35
13) ウィリアム・ユーリー："ＮＯ"と言わせない交渉術、知的生き方文庫、1998.12.10
14) 高杉尚孝：交渉のセオリー、日本放送出版会、2001.3.20
15) 庄司雅彦：人を動かす交渉術、平凡社新書、2007.9.10
16) 松村啓史：幸せ交渉術、ＭＣメディカ出版、2011.5.20
17) マックスＨ・ベイザーマン他：交渉の認知心理、白桃書房1997.1
18) 鈴木有香：人と組織を強くする交渉力、自由国民社、2009.4.30
19) 産業能率大学総合研究所、交渉研究プロジェクト：交渉のデザインと実践スキル、産業能率大学出版部刊、2011.1.28
20) 平原由美、観音寺一崇：戦略的交渉術、東方経済新報社、2002.10.31
21) 後藤達也：看護師長の会話術、日総研、2005.10.10
22) 坂本すが：私がもう一度看護師長をするなら、医学書院、2012.3.1
23) 濱川博招、島川久美子：医師・看護師が変える院内コミュニケーション、ぱる出版、2007.2.14
24) 大串正樹：ナレッジマネジメント、医学書院、201.4.15
25) 羽生善治：直観力、PHP新書、2112.11.1
26) 井部俊子他：看護管理学習テキスト第2版第3巻看護マネジメント論、日本看護協会出版社、2011.4.1

引用・参考文献

27) 小笹芳央：部下のやる気は上司で決まる、実業之日本社、2001.12.15
28) 有田和正：教え上手、サンマーク出版、2010.6.1
29) 観音寺一崇：絶妙な「交渉」の技術、明日香出版社、2009.7.7
30) 一色正彦：売り言葉は買うな！ビジネス交渉の必勝法、日本経済新聞出版社
31) 伊藤　守：図解コーチングマネジメント、ディスカヴァー・トゥエンティワン、2011.8.25
32) 星　北斗、山田佐登美、藤沢秀子、徳永　紳、土屋　仁：説得交渉とデータ作成、ナースマネジャー、P6～37、2007.5　Vol.9　No.3
33) 坂本すが：「スタッフ」「他職種」が楽しく踊り、成果を生み出す説得・交渉術、ナースマネジャー、P6～13、2007.9　Vol.9　No.7
34) 葛田一雄：看護部長の仕事、ぱる出版、2007.10.9
35) 和田仁孝．中西淑美：医療メディエーション、シーニュ、2011.12.1
36) 本郷陽二：相手のホンネを必ず引き出す会話術、PHP研究所、2010.6.11
37) 陣田康子：できるナースのための仕事術、MCメディカ出版、2009.1.1
38) 高橋淑郎：病院価値を高めるバランスト・スコアカード、メディカル・パブリケーションズ、2006
39) 日本医療バランスト・スコアカード研究学会：日本医療バランスト・スコア導入のすべて」生産性出版、2007
40) ロバート・S・キャプラン、デビット・P・ノートン：キャプランとノートンの戦略バランスト・スコアカード」東洋経済新報社、2001
41) 高橋淑郎：医療バランスト・スコアカード研究　実務編、生産性出版、2011
42) 小笹芳央：モチベーションマネジメント、PHP研究所、2002.12.16
43) 楠田丘、斎藤清一：看護職の人材育成と人事考課の進め方、経営書院、2006.10.19
44) 堀　公俊：今すぐできるファシリテーション、PHPビジネス新書、2008.3.7
45) 人事異動：Wikipediaホームページ、2013.1.10アクセス http://ja.wikipedia.org/wiki/%E4%BA%BA%E4%BA%8B%E7%95%B0%E5%8B%95
46) 井部俊子他：看護管理テキスト第2版第3巻看護組織論、日本看護協会出版社、2011.4.1
47) 堀　公俊：ファシリテーション入門、日経文庫、2011.3.11

引用・参考文献

48) 寺沢俊哉：感動の会議！、ディスカヴァー・トゥエンティーワン、2010.7.15
49) P.F.ドラッカー：マネジメント　エッセンシャル版　基本と原則、ダイヤモンド社、2001.12.14
50) P.Fドラッカー：経営者の条件、ダイヤモンド社、2006.11.10
51) 齋藤由利子：円転滑脱「看護管理者の歩み」、産労総合研究所、看護のチカラ2015No420、2015.2.1
52) 齋藤由利子：師長が知っておくべき交渉力向上のための基本、メディカ出版、ナーシングビジネス6月号　2014　Vol.8　6
53) 齋藤由利子：看護管理者の交渉力UP術、メジカルフレンド社、看護展望1月号〜12月号、2015　Vol.40　No.1〜12
54) 齋藤由利子：師長・主任目標面接の極意とマネジメント、メジカルフレンド社、看護展望、2017.1
55) 齋藤由利子：今だからこそ看護の原点に戻ろう　〜組織活性化の核は師長に〜、産労総合研究所、看護のチカラ2016.4.1
56) 齋藤由利子：元気な病院の源は看護管理者にあり、産労総合研究所、看護のチカラ、2016.8
57) 齋藤由利子：現場における調整力の原点は交渉力、日総研、主任看護師、2016.9・10月号
58) 齋藤由利子：交渉術を看護に生かす、事例に学ぶ看護管理者の交渉術、メディカ出版、ナーシングビジネス2017 Vol no.4
59) 齋藤由利子：師長が育つ、9つの条件「極めよう！　医師との信頼関係」、メジカルフレンド社、看護展望、2017.4
60) 石川和夫：スタッフのやる気を引き出す法則、商業界、2009.3.25
61) スティーブン・R・コヴィー：7つの習慣、キング・ベアー出版、1997.11.4
62) 福嶋宏盛：とたんにものが動き出す、日本実業出版社、2010.1.20
63) 山田ズーニー：あなたの話はなぜ「通じない」のか、筑摩書房、2006.12
64) 中谷彰宏：結果がついてくる人の法則58、大和書房、2011.7.30
65) 鈴木義幸：コーチングから生まれた熱いビジネスチームをつくる4つのタイプ、ディスカヴァー・トゥエンティワン2006.3.10
66) 伊東　明：説得技術のプロフェッショナル、ダイヤモンド社、2002.12.12
67) 諏訪刺激：対人援助とコミュニケーション第2版、中央法規出版、

引用・参考文献

2010.3.10
68) 田中和代：ゲーム感覚で学ぼう、コミュニケーションスキル、黎明書房、2004.3.31
69) 青木仁志：心に響く「話し方」、アチーブメント出版株式会社、2011.10.29
70) 中原淳、金井壽宏：リフレクティブ・マネジャー、光文社、2009.10.29
71) マックスH・ベイザーマン他：交渉の認知心理、白桃書房1997.1
72) 守谷雄司：「手際がいい」と言われる仕事術、あさ出版、2004.5.26
73) 鈴木義幸：リーダーが身につけたい25のこと、ディスカヴァー・トゥエンティワン、2011.8.25
74) 井部俊子他：看護管理学習テキスト第2版第3巻看護マネジメント論、日本看護協会出版社、2011.4.1
75) 一色正彦：売り言葉は買うな！ビジネス交渉の必勝法、日本経済新聞出版社
76) 本郷陽二：相手のホンネを必ず引き出す会話術、PHP研究所、2010.6.11
77) 松浦正浩：実践！交渉学、ちくま新書、2010.4.10
78) 星野欣生：人間関係づくりトレーニング、金子書房、2003.1.10
79) 湯ノ口弘二：コミュニケーションエナジー　一部改変、サンクチュアリ出版、2013.5.15
80) 鈴木義幸：成功者に学ぶ「決断」の技術、講談社、2006.10.20
81) T. M. Marrelli（訳　細野容子他）:実務にいかす看護管理の基本、医学書院、1998.8.1

著者略歴

齋藤　由利子（さいとう・ゆりこ）
1978年3月、自治医科大学附属看護学校卒。同年4月、上都賀総合病院入職。
2014年4月、副院長兼看護部長　現在に至る

○主な資格等

看護師(1978年)。介護支援専門員(2001年)。日本看護協会　認定看護管理者(2011年6月)。日本医療バランスト・スコアカード研究学会　認定指導者(2011年6月)。特定非営利活動法人日本交渉協会認定　交渉アナリスト1級（2012年7月)。

○主な著書

- これならできるBSC　～看護現場で活用する・成果を上げるために～　産労総合研究所「師長主任業務実践」　2012.12.15
- 看護管理の現場はより良い交渉から　産労総合研究所「師長主任業務実践」2013.3
- 師長が知っておくべき交渉力向上のための基本　メディカ出版、ナーシングビジネス6月号2014 Vol.86
- 上都賀総合病院におけるPFM導入　経緯と成果、今後の課題、メジカルフレンド社、看護展望10月号　2014 Vol.39 No11
- 円転滑脱「看護管理者の歩み」、産労総合研究所、看護のチカラ2015 No420、2015.2.1
- 一日院内留学導入によるキャリア開発の動機づけ、ナースマネジャー、2015年4月号
- 看護管理者の交渉力UP術、メジカルフレンド社、看護展望2015.1月～12月号12カ月連載
- 交渉術、産労総合研究所、（医療アドミニストレーター）病院羅針盤、2015.4月～2016.3月　12カ月連載
- 当院における地域包括ケア病棟の導入・運用・成果、メジカルフレンド社、看護展望、臨時増刊号2015 Vol.40 No.9
- 退院支援・調整に関わる人材育成とPFMの関わり、日総研、看護人材育成、2015.12月・1月号
- 「できる、使える」看護管理者交渉術の極意、産労総合研究所、看護のチカラ、2016.2.15号

- 看護部長メッセージ　〜当看護部運営の重点目標・施策〜、産労総合研究所、看護のチカラ、2016.4.1号
- 配置換えの点検の視点、メヂカルフレンド社、看護展望、2016.4.1
- 今だからこそ看護の原点に戻ろう　〜組織活性化の核は師長に〜、産労総合研究所、看護のチカラ2016.4.1
- 急性期病院にPFMが必要な理由、上都賀総合病院のPFM、メヂカルフレンド社、看護展望、2.16.7
- 元気な病院の源は看護管理者にあり、産労総合研究所、看護のチカラ、2016.8
- 現場における調整力の原点は交渉力、日総研、主任看護師、2016.9・10月号
- 師長・主任目標面接の極意とマネジメント、メヂカルフレンド社、看護展望、2017.1
- 交渉術を看護に生かす、事例に学ぶ看護管理者の交渉術、メディカ出版、ナーシングビジネス2017 Vol No.4
- 師長が育つ、9つの条件「極めよう！　医師との信頼関係」、メヂカルフレンド社、看護展望、2017.4
- 新・師長の仕事術、「師長の役割って何？」、看護のチカラ、産労総合研究所、2017.4.15
- 病院の経営課題Q＆A「看護」、病院羅針盤、2回シリーズ、2017.4 2017.5
- 新・師長の仕事術、産労総合研究所、2017.4月〜17回連載予定
- 看護管理者の目標管理、ナースマネジャー、日総研、2017.10月〜6回連載　他、多数

〇講義・講演
認定看護管理者ファーストレベル、セカンドレベル、サードレベル講師
その他全国各地にて交渉術・看護管理に関する内容多数

JAかみつが厚生連　上都賀総合病院の概要（2017年9月現在）

名称：上都賀厚生農業協同組合連合会　上都賀総合病院
所在地：〒322-8550　栃木県鹿沼市下田町1丁目1033番地
電話：0289-64-2161　ファクス：0289-64-2468
病床数：352床（一般254床［うち、地域包括ケア病棟48床］、精神50床）

診療科目：26科
各種指定：災害拠点病院、二次救急医療病院群輪番制病院、臨床研修病院
へき地医療拠点病院、地域がん診療連携拠点病院、栃木県ＤＭＡＴ指定病院　等

● 看護職員
　346人（保健師：10人、助産師10人、看護師：255人、准看護師：28人、介護職員・看護補助：30人、病棟クラーク13人）
● 看護師配置（入院基本料）
　一般病棟　　7対1入院基本料、急性期補助加算50対1
　地域包括ケア病棟13対1入院基本料、急性期補助加算25対1
　精神科病棟　13対1入院基本料、補助加算
● 一般病床平均在院日数　14日
● 病床利用率　79.4％

改訂版
交渉力アップで看護部を変える、病院を変える

2013年6月15日　第1版第1刷発行
2015年7月4日　第1版第2刷発行
2017年12月18日　第2版第1刷発行
2019年9月20日　第2版第2刷発行

著　者　　齋　藤　由利子
発行者　　平　　盛　之

㈱産労総合研究所
発行所　出版部　経営書院

〒112-0011　東京都文京区千石4-17-10
　　　　　　産労文京ビル
電話　03-5319-3620
振替　00180-0-11361

無断転載はご遠慮ください。
乱丁・落丁本はお取り替えします。　ISBN 978-4-86326-249-2　C3047

印刷・製本　藤原印刷株式会社